200
Spanish Verbs

Compiled by
LEXUS
with
Helena Martín Milanés

BARNES
&NOBLE
BOOKS
NEW YORK

1993 Barnes & Noble Books

ISBN 1-56619-200-5

Printed and bound in the United States of America

M 9 8 7 6 5 4 3

CONTENTS

PREFACE

<u>200 Spanish Verbs</u> presents 200 fully conjugated Spanish verbs arranged in alphabetical order and numbered for quick and easy reference.

The 34-page introduction provides a clear guide to basic grammatical points, explains the use of tenses and moods, and is illustrated with numerous useful examples. The introduction also covers:

- The use of subject pronouns
- The subjunctive
- Infinitive and participle forms
- The passive
- The use of "ser" and "estar"

Other valuable features include:

- An index of parallel structures for over 2,000 verbs
- Important information on meanings, structures and grammatical points
- Useful phrases and idioms for 25 key verbs

This handy guide to Spanish verbs and grammatical forms is the ideal reference source for any student or traveler.

INTRODUCTION

A SUBJECT PRONOUNS

1 Verb endings in Spanish change according to the number (singular/plural) and the person (first/second/third) of the subject. The subject might be referred to by the following pronouns:

Singular

1st person	**yo**	I
2nd person	**tú**	you
3rd person	**él/ella**	he/she

Plural

1st person	**nosotros**	we *(masculine)*
	nosotras	we *(feminine)*
2nd person	**vosotros**	you *(masculine)*
	vosotras	you *(feminine)*
3rd person	**ellos**	they *(masculine)*
	ellas	they *(feminine)*

(This is the order in which you will find them in the verb tables.)

Usted/ustedes: this is the polite form (singular/plural) of the second person (you). It is sometimes abbreviated to **Ud./Uds.** and **vosotros/vosotras** is sometimes abbreviated to **V./Vs., Vd./ Vds.**

In Spain, people use this form in formal situations (ie business) or when speaking to older people. In Latin America, it is used much more often, especially the plural **ustedes**, which is employed instead of **vosotros/vosotras.**

NOTE: Although it refers to the second person, **usted/ustedes** takes <u>third</u> person endings.

2 Subject pronouns in Spanish are usually dropped, since the ending of the verb already tells you all you need to know. Thus:

hablo español
I speak Spanish

NOT:

yo hablo español
The second version is only used for emphasis as in "<u>I</u> speak Spanish (but he doesn't)".

B CONJUGATIONS

Spanish verbs are classified into three groups according to the ending of their infinitive form. All Spanish infinitives end in either **-ar**, **-er** or **-ir**:

eg	**traba<u>jar</u>**	to work
	beb<u>er</u>	to drink
	viv<u>ir</u>	to live

What is left if we take these endings is called the verb stem (eg. **trabaj-**, **beb-**, **viv-**). Verbs are conjugated by adding different endings to this stem.

All regular verbs whose infinitive ends in **-ar** will follow the pattern of endings of the <u>first conjugation,</u> those which end in **-er** will follow the <u>second conjugation</u> and those in **-ir**, the <u>third conjugation.</u>

In this book you will find models of these conjugations for several regular verbs as well as for all the most common irregular verbs.

C FORMATION OF TENSES

1 REGULAR VERBS

All regular verbs will follow one of the three conjugations shown in **B** above.

2 IRREGULAR VERBS

Irregular verbs mostly follow one of the three conjugations, but contain irregular forms where the stem and/or the ending change.

Models for all the most common irregular verbs are given in the verb tables of this book. A more exhaustive list can be found in the index.

D USE OF TENSES IN THE INDICATIVE

1 PRESENT

This tense is used:

a For describing present situations:

es arquitecto
he is an architect

tengo veinte años
I am twenty years old

estamos cansados
we are tired

b For expressing general truths:

en verano hace calor
it is hot in the summer

la nieve es blanca
snow is white

las vacas comen hierba
cows eat grass

c To refer to actions or plans in the immediate future:

mañana nos vamos a Valencia
tomorrow we are going to Valencia

volvemos el jueves
we'll be back on Thursday

acabo en seguida
I'll be finished in a minute

d To express present actions:

estudio francés
I'm studying French

¿qué haces?
what are you doing?

no me quejo
I'm not complaining

English speakers tend to overuse the Present Progressive in Spanish, when in fact the Present Tense is often used instead (see Present Participle pp. xxix-xxx)

e   To express present actions whose starting point in the past is introduced by **desde/desde hace/hace** + **que**:

vivo en Escocia desde 1991
I've lived in Scotland since 1991

¿desde cuándo trabajas aquí?
how long have you been working here?

nos conocemos desde hace cinco años
we have known each other for five years

¿hace mucho que esperáis?
have you been waiting for long?

hace diez días que no fuma
she hasn't smoked for ten days

2   FUTURE

This tense is used:

a   For describing actions that will take place in the future:

el año que viene iremos a España
next year we'll go to Spain

mañana por la tarde hará sol
tomorrow afternoon it'll be sunny

el lunes vendrá el electricista
the electrician is coming on Monday

pronto nos mudaremos
we are going to move soon

Very often the Spanish Future Tense is translated into English by the Present Progressive (is coming) or the "going-to future" (are going to move) rather than the Future (we'll go).

It is not possible to use the Present Progressive to refer to the future in Spanish, but there is a widely used Spanish equivalent of the "going-to future" using the verb "to go" **ir** + *the preposition* **a** + *infinitive*:

vamos a comprar una casa en el campo
we're going to buy a house in the country

voy a cenar con mis padres
I'm going to have dinner with my parents

¿vas a decírselo?
are you going to tell him?

b To express supposition in the present:

será francés
he must be French

tendrá unos cuarenta años
she must be around forty

estarás cansada
you must be tired

vivirá con sus padres
she must live with her parents

This is an important use of the Spanish Future. Another way of expressing supposition is by using **debe de** (see notes on **deber** in the verb tables).

c To express indignation in questions or exclamations:

¡tendrá cara!
what a nerve he has!

¿serás idiota?
what an idiot you are!

3 FUTURE PERFECT

This tense is used:

a To refer to future actions that will be completed by a certain time:

lo habré acabado antes del jueves
I'll have finished it before Thursday

cuando llegues, la película ya habrá empezado
when you arrive, the film will already have started

ya nos habremos ido
we'll already have left

b When expressing supposition or probability in the past:

lo habrá conocido en el avión
she must have met him on the plane

todavía no habrán llegado
they can't have arrived yet

habrá sido él
it must have been him

lo habré soñado
I must have dreamt it

c To express indignation (as in **c** p. x):

¡qué se habrá creído!
who does he think he is!

¡habráse visto!
it's unbelievable!

There are three main tenses to refer to past actions in Spanish:

4 The Imperfect
5 The Preterite
6 The Present Perfect

PRETERITE OR IMPERFECT?

The distinction between the Imperfect and the Preterite Tenses is a very difficult one for English speakers. On the whole:

The Imperfect describes continuous or habitual events in the past such as those described by the Past Progressive and "used to" in English.

The Preterite describes definite, completed events such as those described by the English Preterite.

Nevertheless, there are many instances when the Preterite in English may be translated by the Imperfect Tense in Spanish. This is a source of confusion, especially in the case of the verbs **ser** and **estar**, since "to be" cannot be used in the Progressive in English, but it can be used both in the Imperfect and Preterite in Spanish:

> **yo era su novia**
> **yo fui su novia**

Both mean "I was his girlfriend", but the first one means "I was his girlfriend (at the time)" and the second one means "I was his girlfriend (but it is over now)".

4 IMPERFECT

This tense is used:

a For referring to an action or state that was happening in the past:

> **llovía muchísimo**
> it was raining very hard

> **el bebé dormía tranquilamente**
> the baby slept peacefully

> **mientras él planchaba, yo lavaba los platos**
> while he was ironing, I was doing the dishes

b To refer particularly to an on-going action when another action takes place in the past:

> **estaba en la cocina, cuando sonó el teléfono**
> I was in the kitchen when the phone rang

se llevaron nuestras cosas mientras dormíamos
they took our things while we were sleeping/asleep

lo dijo cuando no escuchábamos
he said it when we weren't listening

In both **a** and **b** above, the Imperfect usually corresponds to the English Past Progressive. (The Spanish Past Progressive, eg **estaba lloviendo muchísimo**, might also be used, but it is less common and is usually employed for emphasis. See Present Participle p. xxix-xxx).

c   To refer to a habitual action that used to take place in the past:

cuando era pequeña, iba al colegio andando
when I was little, I used to walk to school

en España vivíamos en un piso muy grande
in Spain we used to live in a very big apartment

salíamos juntos cada viernes
we used to go out together every Friday

d   For describing background, physical traits or mental states in the past:

era moreno y tenía los ojos castaños
he was dark-haired and had brown eyes

estaba muy contenta
she was very happy

hacía mucho viento
it was very windy

5   PRETERITE

This tense is used:

a   For referring to an action completed in the past:

ayer fuimos al cine
yesterday we went to the movie theater

vendieron la casa el año pasado
they sold their house last year

¿cenaste en casa?
did you have dinner at home?

b To express any action when the stress lies on the fact that it has finished:

vivió en Paraguay durante diez años
he lived in Paraguay for ten years

el martes llovió mucho
it rained hard on Tuesday

estuve dos días en Madrid
I was in Madrid for two days

A few verbs change their meaning depending on whether they are used in the Preterite or the Imperfect Tense. The most important are:

conocer
Imperfect: **ella conocía a su madre**
she <u>knew</u> his mother
Preterite: **ella conoció a su madre**
she <u>met</u> his mother

querer
Imperfect: **quería hacerlo**
he <u>wanted to</u> do it
Preterite: **quiso hacerlo**
he <u>tried to</u> do it

saber
Imperfect: **sabía que era imposible**
I <u>knew</u> it was impossible
Preterite: **supe que era imposible**
I <u>found out</u> it was impossible

6 PRESENT PERFECT

This tense is used to express actions that are connected to the present in some way (either because they are seen as recent or because they haven't changed until now):

¿has estado en Brasil?
have you been to Brazil?

he acabado el cuadro
I've finished the painting

no he visto a Javier últimamente
I haven't seen Javier recently

¿has tenido mucho trabajo este mes?
have you had much work to do this month?

Note that in certain areas of Spain, this tense is used instead of the Preterite for any action occurring today.

hoy me he levantado tarde
today I woke up late

BUT:

ayer me acosté temprano
yesterday I went to bed early

7 PAST PERFECT

This tense is used to indicate that an action took place before another action or point of time in the past:

cuando llegué al cine, se habían acabado las entradas
when I got to the movie theater, they had sold out

me dijo que había hablado con mi hermano
she told me she had spoken to my brother

nadie lo había leído
nobody had read it

8 PRETERITE PERFECT

This tense is used to refer to a previous action (like 7) in a subordinate clause of time:

se marchó cuando hubo terminado
he left once he had finished

lo compró una vez lo hubo visto
he bought it after he had seen it

This tense (also known as the Past Anterior) is mainly used in literary Spanish. Usually, the Past Perfect or the Preterite tenses are employed.

E USE OF TENSES IN THE CONDITIONAL

1 PRESENT CONDITIONAL

This tense is used:

a With certain verbs (eg **apetecer**, **gustar**, **preferir**, **querer**) to express a wish:

me gustaría aprender italiano
I would like to learn Italian

preferiría no ir
I would prefer not to go

querría hablar con el Sr. Rodríguez
I would like to speak to Mr Rodríguez

b For expressing what would happen given an unfulfilled condition:

si ganara la lotería, me compraría un coche
if I won the lottery, I would buy a car

si bajaran los tipos de interés, habría una crisis financiera
if interest rates were lowered, there would be a financial crisis

The condition might only be implied:

sería muy interesante
it would be very interesting

no serviría de nada
it would be useless

c To express supposition in the past:

tendría unos 15 años cuando la conoció
he must have been around 15 when he met her

esperaría una propina
she must have expected a tip

¡estarías contento!
you must have been happy about that!

2 PERFECT CONDITIONAL

This tense is used to express what would have happened in the past if something or somebody had not prevented it:

si hubieras venido, habríamos visto el vídeo
if you had come, we would have watched the video

si no hubiera llovido, habrían ido a la playa
if it had not rained, they would have gone to the beach

si te hubiera conocido antes, todo habría sido distinto
if I had met you before, everything would have been different

F USE OF THE SUBJUNCTIVE

1 INDICATIVE OR SUBJUNCTIVE?

The indicative mood is employed to express actions that the speaker thinks are true or "real". The subjunctive mood is mainly used to convey actions that are "unreal" for the speaker because they are either:

unfulfilled
emotional
uncertain or unknown

Thus, the subjunctive mood is used:

a To express unfulfilled conditions:

si comieras menos, adelgazarías
if you ate less, you would lose weight

si lo hubiera sabido, te lo habría dicho
if I had known, I would have told you

Note that the tense used for these conditions varies depending on whether the condition refers to the present time or to the past:

If it refers to the present (as in the first example), the **IMPERFECT SUBJUNCTIVE** is used

If it refers to the past (as in the second example), the **PAST PERFECT SUBJUNCTIVE** is used

(For more information on conditional statements, see pp. xvi-xvii.)

b In subordinate clauses, to express a subjective opinion or emotion such as:

i) **Wish or hoping:**

espero que llueva
I hope it rains

preferiría que no viniera a la fiesta
I would prefer it if he didn't come to the party

¡ojalá salga el sol!
I hope the sun comes out!

The subjunctive is employed with the following verbs and expressions:

aconsejar que	to advise that
desear que	to wish that
esperar que	to hope that
gustar que	to like (see verb 99)
necesitar que	to need that
preferir que	to prefer that
querer que	to want (see verb 153)
es necesario que	it is necessary that
es innecesario que	it is unnecessary that
¡ojalá que ...!	I hope that ...!, I wish that ...!

In subordinate sentences with these verbs, we must distinguish between sentences with one or two subjects:

me gustaría leer más
I would like to read more

me gustaría que leyeras más
I would like <u>you</u> to read more

If there is only <u>one</u> subject (as in the first example), the
INFINITIVE is used.

If there are <u>two</u> subjects (as in the second example), the
structure **que + SUBJUNCTIVE** is used.

ii) **Doubt/Disbelief:**

no creo que vengan
I don't think they'll come

dudo que hablara chino
I doubt she spoke Chinese

quizá cambie de opinión
perhaps he'll change his mind

The subjunctive is used with verbs and expressions of doubt or
uncertainty:

dudar que	to doubt that
es probable/improbable que	it's likely/unlikely that
es posible/imposible que	it's possible/impossible that
puede (ser) que	it's possible that
quizás/tal vez (without **que**)	perhaps

and with verbs and expressions of belief in the negative:

no creer que	not to believe that
no pensar que	not to think that
negar que	to deny that
no es cierto/verdad que	it's not true that
no es seguro que	it's not certain that
no está claro que	it's not clear that

With these verbs and expressions of belief in the affirmative,
the indicative is used:

creo que vendrán
I think they'll come

es verdad que lo hizo ella misma
it's true that she did it herself

está claro que no te gusta
it's obvious that you don't like it

iii) **Regret:**

siento mucho que no lo pasaras bien
I'm sorry you didn't have a good time

es una pena que no podamos ir
it's a pity we cannot go

¡qué lástima que perdiera!
what a shame he lost!

The main verbs and expressions of regret are:

lamentar que	to regret that
sentir que	to be sorry that
es una lástima que	it's a pity that, it's a shame that
es una pena que	it's a pity that, it's a shame that
qué lástima que	what a pity that, what a shame that
qué pena que	what a pity that, what a shame that

iv) **Permission/command:**

le dije que se callara
I told him to shut up

no le permitieron que se quedara
they didn't allow him to stay

le impidieron que entrara
they prevented him from entering

Verbs and expressions of permission/command are:

decir que	to tell (see verb 60)
dejar que	to let (see verb 63)
hacer que	to force (see verb 103)
impedir que	to prevent
mandar que	to tell, to order

ordenar que	to tell, to order
permitir que	to allow
prohibir que	to forbid

In the following cases, both the infinitive and the subjunctive can be used regardless of the number of subjects:

le dejaron que fuese a la fiesta
le dejaron ir a la fiesta
they let him go to the party

me prohibieron que fumara
me prohibieron fumar
they did not allow me to smoke

hizo que lo comprendiéramos
nos lo hizo comprender
she made us understand

v) **Request:**

le pedí que me ayudara
I asked her to help me

¿le importa que fume?
do you mind if I smoke?

¿te molesta que ponga música?
do you mind if I play some music?

Verbs and expressions of request are:

pedir	to ask for (see verb 137)
rogar	to beg
suplicar	to plead
¿le/te importa?	do you mind?
¿le/te molesta?	does it bother you?

vi) **Other emotions (happiness, surprise, annoyance, fear, worry):**

¡qué suerte que lo hayas encontrado!
how lucky that you found it!

me extraña que no llamara
I find it strange that he didn't phone

está harta de que suene el teléfono
she's fed up with the phone ringing

me preocupa que lo sepa
it worries me that he might know

alegrarse de que	to be happy that
¡qué bien que ...!	how great that ...!
¡qué suerte que ...!	how lucky that ...!
sorprenderse/asombrarse que	to find it surprising that
qué raro/extraño que	how odd/strange that
es raro/extraño que	it's odd/strange that
es increíble que	it's incredible that
es sorprendente que	it's surprising that
fastidiar que	to annoy
molestar que	to bother
estar harto de que	to be fed up with
preocupar que	to be worried that
temer que	to be afraid that
tener miedo de/dar miedo que	to be afraid that

c With some impersonal expressions

Many impersonal expressions (including the ones mentioned above) introduce sentences in the subjunctive mood:

es raro que no dijera nada
it's odd that she didn't say anything

puede (ser) que tengas problemas
you may have problems

Other impersonal expressions that take the subjunctive are:

es bueno/malo que	it's good/bad that
es mejor/peor que	it's better/worse that
está bien/mal que	it's right/wrong that
es normal que	it's normal that
es natural que	it's natural that
es lógico que	it's logical that

es falso que	it's false
es mentira que	it's a lie
es inútil que	it is useless
es difícil que	it is difficult
es fácil que	it is easy
es importante que	it's important that
es igual que	it makes no difference that

Not all impersonal expressions take the subjunctive. As seen above, those that express belief or certainty in the affirmative will take the indicative:

es cierto/verdad que vive en Londres
it's true that he's living in London

es evidente/obvio que le gustas
it's obvious that he likes you

d In relative clauses with indefinite, negative or interrogative antecedents:

busco a alguien que dé clases de español
I'm looking for someone who teaches Spanish

no había nadie que lo supiera
there was nobody who knew it

Note that this person may or may not exist. If you know that the antecedent exists you use the indicative mood:

busco a alguien que conduce un coche rojo
I'm looking for someone who drives a red car

había alguien que te conocía
there was someone there that knew you

e To refer to the future in indefinite phrases:

quienquiera que llame, di que no estoy
whoever phones, say I'm not in

cuando quiera que vengas, puedes quedarte aquí
whenever you come, you can stay here

f To refer to the future after certain conjuctions:

i) **Of time:**

cuando haga sol, iremos al parque
when it is sunny, we'll go to the park

en cuanto acabe esto, me tomaré unas vacaciones
as soon as I finish this, I'll take a vacation

Other conjunctions of time that take subjunctive are:

antes de que	before
así que	as soon as
tan pronto como	as soon as
después de que	after
hasta que	until

ii) **Of purpose:**

lo dijo en español para que lo entendiéramos
he said it in Spanish so we would understand it

grité para que me oyera
I shouted so he could hear me

Other conjunctions of purpose that take the subjunctive are:

a fin de que/de manera que   so, in order to

iii) **Of concession**:

iré aunque llueva
I'll go even if it rains

aunque no haya mucha nieve, lo pasaremos bien
even if there isn't much snow, we'll have a good time

Also:

a pesar de que   in spite of

2   PRESENT SUBJUNCTIVE

a This tense is used to express actions which relate to the future.

It is usually used when the verb in the main clause is in the
present, present perfect, future or imperative:

no creo que vengan
I don't think they'll come

le he dicho que trabaje más
I've told him to work harder

le pediré que cambie la hora de la clase
I'll ask her to change the time of the lesson

dile que hable más alto
tell him to speak louder

3 IMPERFECT SUBJUNCTIVE

This tense is used to express past actions in the subjunctive mood.

It is usually used when the main clause is in the imperfect, preterite, conditional or past perfect:

no creía que viniesen
I didn't think they would come

le dije que trabajara más
I told him to work harder

preferiría que cambiáramos la hora de la clase
I would prefer it if we changed the time of the lesson

le habían dicho que hablara más alto
they had told him to speak louder

4 PAST PERFECT SUBJUNCTIVE

This tense is used:

a Mainly to express unfulfilled conditions with the main clause verb in the perfect conditional:

si hubieras estudiado, no habrías suspendido
if you had studied, you wouldn't have failed

si hubiese sido más fácil, habríamos aprobado
if it had been easier, we would have passed

b In subordinate clauses it is sometimes employed when the verb in the main clause is in the imperfect or preterite:

la policía no creía que hubiese sido ella
the police didn't think it was her

negó que hubiera robado el dinero
she denied having stolen the money

5 PRESENT PERFECT SUBJUNCTIVE

This tense is used to express a past action when the main clause is in the present or future:

espero que les haya gustado
I hope they liked it

no creo que hayan ganado
I don't think they've won

será una pena que ya lo tengan
it will be a shame if they've already got it

G IMPERATIVE

This mood is used:

a To express commands:

¡cállate!
shut up!

¡venid aquí!
come here!

¡no habléis tan alto!
don't speak so loudly!

beba Tonta Cola
drink Tonta Cola

Note that the real imperative forms are those for the second person **tú** and **vosotros**. For the other subject pronouns, as well as for all negative commands, the subjunctive forms are used.

Also note that object pronouns are placed <u>after</u> the verb and attached to it if the command is affirmative and <u>before</u> the verb if it is negative.

¡hazlo!
do it!

¡no lo hagas!
don't do it!

b To make suggestions (in the first person plural):

¡vámonos!
let's go!

¡digámoselo!
let's tell her!

Note that when you add the pronouns **nos, selo, sela** to the verb, it loses its final letter.

H INFINITIVE AND PARTICIPLE FORMS

Apart from the tenses, the verb tables in this book contain four very important forms:

1 The Infinitive: Present + Past Infinitives
2 The Present Participle
3 The Past Participle

1 INFINITIVE

The infinitive forms (present and past) function very much like nouns. They are therefore used:

a After some prepositions

se fueron (sin pagar)
they left (without paying)

(al salir,) me dijo adiós
(as he went out,) he said goodbye to me

Many verbs in Spanish take one or more set prepositions, which may not be the same ones as in English:

aprenderá a conducir
she'll learn to drive

se ha acostumbrado a comer poco
he has got used to eating very little

has tardado mucho en decidir
it's taken you a long time to decide

sueño con ir a España
I dream of going to Spain

Some important phrases with prepositions are:

acabar de	to have just done
deber de	must (supposition)
decir a	to tell
dejar de	to stop doing
haber de	to have to do
ir a	to go to
saber a	to taste of
ser de	to be from, to belong to, to be made of
volver a	to repeat, to re-do

For more information on prepositions after these verbs, see the notes facing the verb tables.

b Directly following certain verbs, without a preposition:

quiero descansar
I want to rest

¿podemos dormir aquí?
can we sleep here?

me gustaría haberlo visto
I wish I had seen it

prefiero quedarme
I prefer to stay

Note that in all these examples there is only one subject. If two different subjects are involved, the subjunctive is used (see p. xix).

c   As a subject:

fumar es malo para la salud
smoking is bad for your health

estudiar algebra es aburrido
studying algebra is boring

2   PRESENT PARTICIPLE

This form is used:

a   To express a way of doing or carrying out some action:

vino corriendo
she came running

llegó a casa llorando
he arrived home in tears

fue al colegio andando
she went to school on foot

b   To form the progressive tenses:

These tenses are formed by using all the different tenses of the verb **estar** plus the present participle of the verb.

Their main use is to stress that the action is unfinished or in progress at the time:

¿estás viendo la tele?
are you watching TV (now)?

estaba duchándome
I was having a shower

a las diez estaremos durmiendo
at ten we'll be sleeping

These tenses are much less used than in English, mainly because they only refer to actions actually happening at the time. (Unlike English the Present Progressive <u>cannot</u> refer to the future.)

Another reason is that some important Spanish verbs are hardly ever found in progressive tenses:

andar	to walk
creer	to think, to believe
estar	to be
ir	to go
llevar	to take
parecer	to seem
querer	to want
saber	to know
ser	to be
tener	to have
venir	to come
volver	to return

3 PAST PARTICIPLE

This form is used:

a As an adjective, by itself or usually with the verb **estar**:

¿(está) entendido?
(is it) understood?

estaba dormido
he was asleep

parecía bebido
he looked drunk

But it is not used with the verb **ser**.

b To form the compound tenses together with the verb **haber**:

INDICATIVE:

Present Perfect	**he hablado**	I have spoken
Past Perfect	**había hablado**	I had spoken
Preterite Perfect	**hube hablado**	I had spoken
Future Perfect	**habré hablado**	I will have spoken

SUBJUNCTIVE:

Past Perfect	**hubiera hablado**	I would have spoken
Present Perfect	**haya hablado**	I may have spoken

c   To form the passive voice together with the verb **ser**:

es esperado con expectación
it is awaited with expectation

será retransmitido vía satélite
it will be broadcast by satellite

finalmente las joyas fueron encontradas
finally, the jewels were found

el Presidente ha sido recibido por el Rey
the President was welcomed by the King

This is not the most common way of translating the passive in Spanish. In fact, the most usual ways are:

i)   Using the reflexive form **se** + the third person of the verb:

este coche se fabrica en Alemania
this car is made in Germany

*se prohíbe fumar
smoking is forbidden (no smoking)

el nuevo estadio se construirá en el verano
the new stadium will be built in the summer

en 1992 se celebraron los Juegos Olímpicos en Barcelona
in 1992 the Olympic Games were held in Barcelona

* Note that this is a common formula for signs, such as:

se habla inglés
English spoken

se alquilan bicicletas
bicycles for hire

se hacen trajes a medida
suits made to measure

ii)   Changing the sentence into the active voice. In Spanish, the passive voice is not used as often as in English:

la ley protege a los animales
animals are protected by the law

In some cases, the passive form is not even possible:

el jefe le dio un aumento
she was given a rise by the manager

iii) If there is no agent, the third person plural is usually employed:

le ofrecieron un trabajo interesante
he was offered an interesting job

me han invitado a una boda
I've been invited to a wedding

venderán toda la tierra
all the land will be sold

los despidieron el mes pasado
they were fired last month

The full conjugation table for the passive verb **ser admirado** is given on the facing page.

SER ADMIRADO to be admired

INDICATIVE
PRESENT
soy admirado
eres admirado
es admirado
somos admirados
sois admirados
son admirados

FUTURE
seré admirado
serás admirado
será admirado
seremos admirados
seréis admirados
serán admirados

IMPERFECT
era admirado
eras admirado
era admirado
éramos admirados
erais admirados
eran admirados

PRETERITE
fui admirado
fuiste admirado
fue admirado
fuimos admirados
fuisteis admirados
fueron admirados

PRESENT PERFECT
he sido admirado
has sido admirado
ha sido admirado
hemos sido admirados
habéis sido admirados
han sido admirados

PAST PERFECT
había sido admirado
habías sido admirado
había sido admirado
habíamos sido admirados
habíais sido admirados
habían sido admirados

PRETERITE PERFECT
hube sido admirado etc
see page 100

FUTURE PERFECT
habré sido admirado etc
see page 100

CONDITIONAL
PRESENT
sería admirado
serías admirado
sería admirado
seríamos admirados
seríais admirados
serían admirados

SUBJUNCTIVE
PRESENT
sea admirado
seas admirado
sea admirado
seamos admirados
seáis admirados
sean admirados

PRESENT INFINITIVE
ser admirado

PAST INFINITIVE
haber sido admirado

PERFECT
habría sido admirado
habrías sido admirado
habría sido admirado
habríamos sido admirados
habríais sido admirados
habrían sido admirados

IMPERFECT
fu-era/ese admirado
fu-eras/eses admirado
fu-era/ese admirado
fu-éramos/ésemos admirados
fu-erais/eseis admirados
fu-eran/esen admirados

PRESENT PARTICIPLE
siendo admirado

PAST PARTICIPLE
sido admirado

PAST PERFECT
hubiera sido admirado
hubieras sido admirado
hubiera sido admirado
hubiéramos sido admirado
hubierais sido admirado
hubieran sido admirado

IMPERATIVE
(tú) sé admirado
(Vd) sea admirado
(nosotros) seamos admirados
(vosotros) sed admirados
(Vds) sean admirados

PRESENT PERFECT
haya sido admirado etc
see page 100

I "SER" AND "ESTAR"

In Spanish there are two verbs to express the English "to be": **ser** and **estar.** This causes much confusion to learners, so it might be helpful to remember that:

ser is used to <u>define</u> things: to tell us <u>what</u> things are.

estar is often used to <u>situate</u> things: to tell us <u>where</u> they are.

However, **estar** not only refers to location, but to moods and states that are changeable. The following sections provide a guide to the use of **ser** and **estar**:

1 cases when **ser** must be used
2 cases when **estar** must be used
3 cases when either can be used

1 CASES WHEN "SER" MUST BE USED

a To identify a person or a thing (usually followed by a noun):

soy Marcos
I am Marcos

¿quién es? es él, es Marcos
who is it? it is him, it is Marcos

¿eres su hermano?
are you her brother?

Mallorca es una isla
Majorca is an island

la paella es una comida típica española
paella is a typical Spanish dish

b When describing someone's occupation:

soy estudiante
I am a student

su madre es periodista
her mother is a journalist

¿eres médico?
are you a doctor?

era abogado
he was a lawyer

c   When referring to origin or nationality:

somos argentinos
we are Argentinian

¿de dónde eres?
where are you from?

Carmen es de Colombia
Carmen is from Colombia

el vino es de Rioja
this wine is from Rioja

d   When describing appearance, character, color, size etc when these characteristics are inherent:

Marta no es muy alta
Marta is not very tall

Pedro es muy simpático
Pedro is very nice

tu coche es rojo ¿no?
your car is red, isn't it?

su casa es enorme
his house is huge

e   For describing the material that something is made of:

el bolso es de plástico
the purse is made of plastic

los guantes son de lana
they are woollen gloves

¿de qué es?
what is it made of?

es de oro
it's made of gold

f   When referring to something that belongs to someone:

esta maleta es de Ana
that suitcase is Ana's

todas esas revistas son de Víctor
all those magazines are Víctor's

¿de quién es esto?
whose is this?

¡es mío!
it's mine!

g   When using expressions of time:

¿qué hora es? son las tres
what time is it? it's three o'clock

ayer era sábado
yesterday it was Saturday

mañana es día ocho
tomorrow is the 8th

en Brasil ahora es verano
in Brazil it is summer now

h   When using impersonal expressions:

es imposible
it is impossible

es mejor no decir nada
it is better not to say anything

es importante que vuelva
it is important that she comes back

no era necesario
it wasn't necessary

i When forming the passive voice (see p. xxxi):

fue elegido en mayo
he was elected in May

será inaugurado en 1998
it will be opened in 1998

2 CASES WHEN "ESTAR" MUST BE USED

a When describing situations:

estoy en Barcelona
I am in Barcelona

ayer estuve en su casa
yesterday I was at his house

¿dónde está el lavabo?
where is the restroom?

está a su izquierda
it is to your left

Sevilla está en España
Seville is in Spain

b When describing temporary states or moods:

estoy cansada
I'm tired

el jefe está muy enfadado
the boss is very angry

Laura no está bien
Laura is not well

estas cervezas no están frías
these beers are not cold

el ascensor estaba estropeado
the elevator was out of order

Note that many of these adjectives are past participles. By and large, past participles always take the verb **estar,** except in the passive voice.

c   Progressive tenses with the present participle (see p. xxix-xxx)

estoy escribiendo una carta
I'm writing a letter

¿qué estabais haciendo allí?
what were you doing there?

3   CASES WHEN EITHER CAN BE USED

There are some adjectives which can be used with both **ser** and **estar.** Using one or the other always changes the meaning of the sentence:

ser refers to an inherent characteristic
estar refers to a temporary state or condition

Thus:

Maite es muy guapa
Maite is very pretty

Maite está muy guapa
Maite looks/is looking very pretty

mi madre es joven
my mother is young

tu madre está muy joven
your mother looks very young

el libro es nuevo
the book is new
(I've just bought it)

el libro está nuevo
the book looks new
(it's in good condition)

Carlos es gordo/alto
Carlos is fat/tall

Carlos está gordo/alto
Carlos has got fatter/taller

Some adjectives change their meaning <u>completely</u> when used with either **ser** or **estar**. The most common are:

ser listo	to be clever	**estar listo**	to be ready
ser malo	to be bad	**estar malo**	to be ill/off
ser moreno	to be dark-haired	**estar moreno**	to be tanned
ser rico	to be rich *(person)*	**estar rico**	to be good *(food)*
ser verde	to be green	**estar verde**	to be unripe

GLOSSARY

Active Voice   The active voice of a verb is the form where the *subject* acts as in **el Presidente inauguró el museo** (the President opened the museum) as opposed to the *passive voice* (the museum was opened by the President).

Auxiliary Verbs   An auxiliary verb combines with other verbs to form *compound tenses*: eg in **he comprado el periódico** (I have bought the paper), **he** is an auxiliary verb. The main auxiliary verbs in Spanish are **ser, estar** and **haber**, but there are others that can also perform this function.

Clause   A clause is a group of words with at least a *subject* and a verb, eg **(ella) llegó** (she arrived).

Compound Tenses   Compound tenses are those formed by two or more units, eg **está descansando** (he is resting). In Spanish they are usually a combination of an *auxiliary verb* and a participle.

Conditional   This *mood* describes what would or might happen given a certain condition, eg **si vienes, iremos de compras** (if you come, we'll go shopping).

Conjugation   The conjugation of a verb is the set of different forms it takes in the various tenses or moods. Spanish regular verbs follow one of three sets or conjugations.

Direct Object   The direct object is the noun or pronoun which follows a verb and which is not linked to it by a preposition eg, "I did the work", "I gave the present". It is opposed to the *indirect object* which is governed by a preposition. In "I gave her the present", "her" is the same as "to her" and is an indirect object, "the present" is still the direct object.

Endings   The ending of a verb is the form minus the stem. Endings are key elements in Spanish because they indicate the *person*, *number*, *tense* and *mood* of the verb, eg in **compré, compr-** is the stem and **-é** is the ending. This tells us the subject of the verb is **yo** and it is in the preterite *tense* and the *indicative mood*.

Imperative   This *mood* is mainly used to give orders, eg **¡vete!** (go away!) or make suggestions, eg **¡vámonos!** (let's go!).

Impersonal Verbs	An impersonal verb is only used in the third *person* singular and usually expresses an action without a definite subject, eg **está nevando** (it is snowing).
Indicative	The basic mood of a verb, as opposed to the *subjunctive*, *conditional* or *imperative*, eg **tomaré café** (I'll have coffee).
Indirect Object	This is the noun or pronoun which follows a verb and is often linked to it by a preposition, usually "to", eg "I will give the book to him".
Infinitive	The infinitive is the form of the verb with "to" used in dictionaries, such as "to work", "to put", "to wash". Infinitives in Spanish end in **-ar, -er** or **-ir**, eg **trabajar, beber, vivir.**
Intransitive Verbs	A verb is intransitive when it does not take an object, eg **no volvió** (he did not come back).
Mood	The name usually given to the four main areas within which a verb is conjugated. See *indicative*, *subjunctive*, *conditional* and *imperative*.
Number	The number of the noun or pronoun indicates whether it is singular or plural.
Object	See *direct object*, *indirect object*.
Passive Voice	A verb in the passive voice describes an action which the subject does not execute, but is subjected to, eg **el museo fue inaugurado oficialmente** (the museum was officially opened).
Past Participle	An invariable form, which usually consists of the stem of the verb and the endings **-ado** (for **-ar** verbs or **-ido** for **-er** and **-ir** verbs). It is mainly used with the *auxiliary verb* **haber** (to have) to form the perfect tenses, eg **hemos cambiado** (we have changed).
Person	All tenses have three persons, ie first person (singular: **yo** "I", plural: **nosotros/nosotras** "we"), second person (singular: **tú** "you", plural: **vosotros/vosotras** "you") and third person (singular: **él/ella** "he/she", plural: **ellos/ellas** "they").

Present Participle	This invariable form usually consists of the stem of the verb and the endings **-ando** (for **-ar** verbs) and **-iendo** (for **-er**, **-ir** verbs). It is usually used to form the progressive tenses.
Progressive Tenses	These tenses are formed in Spanish by **estar** (to be) and the *present participle*, eg **está lloviendo** (it is raining).
Reflexive Verbs	Reflexive verbs "reflect" the action back on to the *subject* and in Spanish take a reflexive pronoun, ie **me** (myself), **te** (yourself), **se** (polite yourself/yourselves, itself, himself, herself or themselves), **nos** (ourselves), **os** (yourselves), eg **me baño** (I wash myself).
Subject	This is the noun or pronoun in a sentence which carries out the action, eg "she paid for it", "John was driving", "the train was running late".
Subjunctive	Whilst the subjunctive is a verb *mood* which is rarely used in English (eg "if I were to go"), it is very common in Spanish. It usually reflects the speaker's attitude and may suggest a state of mind indicating doubt or emotion. It is most commonly found in subordinate clauses, eg **no quiero que vayas** (I don't want you to go).
Subordinate Clause	A clause which is dependent on another clause, eg in **Juan espera que el exámen sea fácil** (Juan hopes that the exam will be easy), **que el exámen sea fácil** is the subordinate clause and **Juan espera** is the main clause. In Spanish the subordinate clause is usually introduced by the conjunction "que".
Stem	See *verb stem*.
Tenses	The tenses of verbs indicate the time when an action takes place: in the past, the present or the future.
Transitive Verbs	A verb is transitive when it takes an object, eg **cerré la puerta** (I closed the door).
Verb Stem	The verb stem of a Spanish verb is formed by removing the **-ar**, **-er** and **-ir** *endings* from the *infinitive* form, eg **trabaj-**, **beb-** and **viv-** are the stems of **trabajar**, **beber** and **vivir**.
Voice	Verbs have two voices: *active* and *passive*.

NOTE ON TENSE NAMES

You may also come across the following alternative names for
Spanish tenses:

preterite:	past historic
present perfect:	perfect
past perfect:	pluperfect
preterite perfect:	past anterior
perfect conditional:	past conditional
present perfect subjunctive:	perfect subjunctive
past perfect subjunctive:	pluperfect subjunctive

NOTE

For information on the use of subject pronouns and the corresponding verb forms see page vi of the Introduction.

ABRIR to open

INDICATIVE

PRESENT	FUTURE	IMPERFECT
abro	abriré	abría
abres	abrirás	abrías
abre	abrirá	abría
abrimos	abriremos	abríamos
abrís	abriréis	abríais
abren	abrirán	abrían

PRETERITE	PRESENT PERFECT	PAST PERFECT
abrí	he abierto	había abierto
abriste	has abierto	habías abierto
abrió	ha abierto	había abierto
abrimos	hemos abierto	habíamos abierto
abristeis	habéis abierto	habíais abierto
abrieron	han abierto	habían abierto

PRETERITE PERFECT	FUTURE PERFECT
hube abierto etc	habré abierto etc
see page 100	*see page 100*

CONDITIONAL

PRESENT		
abriría		
abrirías		
abriría		
abriríamos		
abriríais		
abrirían		

PERFECT

habría abierto
habrías abierto
habría abierto
habríamos abierto
habríais abierto
habrían abierto

SUBJUNCTIVE

PRESENT

abra
abras
abra
abramos
abráis
abran

IMPERFECT

abr-iera/iese
abr-ieras/ieses
abr-iera/iese
abr-iéramos/iésemos
abr-ierais/ieseis
abr-ieran/iesen

PAST PERFECT

hubiera abierto
hubieras abierto
hubiera abierto
hubiéramos abierto
hubierais abierto
hubieran abierto

PRESENT PERFECT

haya abierto etc
see page 100

PRESENT INFINITIVE

abrir

PAST INFINITIVE

haber abierto

PRESENT PARTICIPLE

abriendo

PAST PARTICIPLE

abierto

IMPERATIVE

(tú) abre
(Vd) abra
(nosotros) abramos
(vosotros) abrid
(Vds) abran

INDICATIVE

PRESENT	**FUTURE**	**IMPERFECT**
acabo	acabaré	acababa
acabas	acabarás	acababas
acaba	acabará	acababa
acabamos	acabaremos	acabábamos
acabáis	acabaréis	acababais
acaban	acabarán	acababan

PRETERITE	**PRESENT PERFECT**	**PAST PERFECT**
acabé	he acabado	había acabado
acabaste	has acabado	habías acabado
acabó	ha acabado	había acabado
acabamos	hemos acabado	habíamos acabado
acabasteis	habéis acabado	habíais acabado
acabaron	han acabado	habían acabado

PRETERITE PERFECT	**FUTURE PERFECT**
hube acabado etc	habré acabado etc
see page 100	*see page 100*

CONDITIONAL

SUBJUNCTIVE

PRESENT	**PRESENT**	*PRESENT INFINITIVE*
acabaría	acabe	acabar
acabarías	acabes	
acabaría	acabe	*PAST INFINITIVE*
acabaríamos	acabemos	haber acabado
acabaríais	acabéis	
acabarían	acaben	

PERFECT	**IMPERFECT**	*PRESENT PARTICIPLE*
habría acabado	acab-ara/ase	acabando
habrías acabado	acab-aras/ases	
habría acabado	acab-ara/ase	*PAST PARTICIPLE*
habríamos acabado	acab-áramos/ásemos	acabado
habríais acabado	acab-arais/aseis	
habrían acabado	acab-aran/asen	

PAST PERFECT
hubiera acabado
hubieras acabado
hubiera acabado
hubiéramos acabado
hubierais acabado
hubieran acabado

IMPERATIVE

(tú) acaba
(Vd) acabe
(nosotros) acabemos
(vosotros) acabad
(Vds) acaben

PRESENT PERFECT
haya acabado etc
see page 100

NOTES

1   MEANING

to finish, to end

2   CONSTRUCTIONS

acabar con	to put an end to *(a problem, a person's life, their patience etc)*
acabar de	to have just done
acabar en	to end in *(a point, tragedy)*
acabar por	to end up *(doing something)*

3   USAGE

transitive:
ayer acabé el libro   yesterday I finished the book

intransitive:
la fiesta acabó a las 11   the party ended at 11

*+ **de** + infinitive:*
Pedro acaba de llegar   Pedro has just arrived
la película acababa de empezar   the film had just started

*+ present participle or + **por** + infinitive:*
acabó odiando el café/   he ended up hating coffee
acabó por odiar el café

reflexive:
se (me) ha acabado el pan   I've run out of bread

4   PHRASES & IDIOMS

¡se acabó!	that's it!, it's over!
acabará mal	it/he'll end up badly
¡acabarás conmigo!	you'll be the end of me!
es el cuento de nunca acabar	it's a neverending affair
¡fue el acabóse!	it was too much!, it was crazy!

ACERCARSE to approach

INDICATIVE
PRESENT

me acerco
te acercas
se acerca
nos acercamos
os acercáis
se acercan

FUTURE

me acercaré
te acercarás
se acercará
nos acercaremos
os acercaréis
se acercarán

IMPERFECT

me acercaba
te acercabas
se acercaba
nos acercábamos
os acercabais
se acercaban

PRETERITE

me acerqué
te acercaste
se acercó
nos acercamos
os acercasteis
se acercaron

PRESENT PERFECT

me he acercado
te has acercado
se ha acercado
nos hemos acercado
os habéis acercado
se han acercado

PAST PERFECT

me había acercado
te habías acercado
se había acercado
nos habíamos acercado
os habíais acercado
se habían acercado

PRETERITE PERFECT
me hube acercado etc
see page 100

FUTURE PERFECT
me habré acercado etc
see page 100

CONDITIONAL
PRESENT

me acercaría
te acercarías
se acercaría
nos acercaríamos
os acercaríais
se acercarían

SUBJUNCTIVE
PRESENT

me acerque
te acerques
se acerque
nos acerquemos
os acerquéis
se acerquen

**PRESENT
INFINITIVE**

acercarse

**PAST
INFINITIVE**

haberse acercado

PERFECT

me habría acercado
te habrías acercado
se habría acercado
nos habríamos acercado
os habríais acercado
se habrían acercado

IMPERFECT

me acerc-ara/ase
te acerc-aras/ases
se acerc-ara/ase
nos acerc-áramos/ásemos
os acerc-arais/aseis
se acerc-aran/asen

**PRESENT
PARTICIPLE**

acercándose

**PAST
PARTICIPLE**

acercado

PAST PERFECT

me hubiera acercado
te hubieras acercado
se hubiera acercado
nos hubiéramos acercado
os hubierais acercado
se hubieran acercado

IMPERATIVE

(tú) acércate
(Vd) acérquese
(nosotros) acerquémonos
(vosotros) acercaos
(Vds) acérquense

PRESENT PERFECT
me haya acercado etc
see page 100

ACERTAR to get right **4**

INDICATIVE

PRESENT	**FUTURE**	**IMPERFECT**
acierto	acertaré	acertaba
aciertas	acertarás	acertabas
acierta	acertará	acertaba
acertamos	acertaremos	acertábamos
acertáis	acertaréis	acertabais
aciertan	acertarán	acertaban

PRETERITE	**PRESENT PERFECT**	**PAST PERFECT**
acerté	he acertado	había acertado
acertaste	has acertado	habías acertado
acertó	ha acertado	había acertado
acertamos	hemos acertado	habíamos acertado
acertasteis	habéis acertado	habíais acertado
acertaron	han acertado	habían acertado

PRETERITE PERFECT
hube acertado etc
see page 100

FUTURE PERFECT
habré acertado etc
see page 100

CONDITIONAL

PRESENT	
acertaría	
acertarías	
acertaría	
acertaríamos	
acertaríais	
acertarían	

PERFECT
habría acertado
habrías acertado
habría acertado
habríamos acertado
habríais acertado
habrían acertado

SUBJUNCTIVE

PRESENT
acierte
aciertes
acierte
acertemos
acertéis
acierten

IMPERFECT
acert-ara/ase
acert-aras/ases
acort-ara/ase
acert-áramos/ásemos
acert-arais/aseis
acert-aran/asen

PAST PERFECT
hubiera acertado
hubieras acertado
hubiera acertado
hubiéramos acertado
hubierais acertado
hubieran acertado

PRESENT PERFECT
haya acertado etc
see page 100

IMPERATIVE

(tú) acierta
(Vd) acierte
(nosotros) acertemos
(vosotros) acertad
(Vds) acierten

PRESENT INFINITIVE
acertar

PAST INFINITIVE
haber acertado

PRESENT PARTICIPLE
acertando

PAST PARTICIPLE
acertado

ACORDARSE to remember

INDICATIVE

PRESENT
me acuerdo
te acuerdas
se acuerda
nos acordamos
os acordáis
se acuerdan

FUTURE
me acordaré
te acordarás
se acordará
nos acordaremos
os acordaréis
se acordarán

IMPERFECT
me acordaba
te acordabas
se acordaba
nos acordábamos
os acordabais
se acordaban

PRETERITE
me acordé
te acordaste
se acordó
nos acordamos
os acordasteis
se acordaron

PRESENT PERFECT
me he acordado
te has acordado
se ha acordado
nos hemos acordado
os habéis acordado
se han acordado

PAST PERFECT
me había acordado
te habías acordado
se había acordado
nos habíamos acordado
os habíais acordado
se habían acordado

PRETERITE PERFECT
me hube acordado etc
see page 100

FUTURE PERFECT
me habré acordado etc
see page 100

CONDITIONAL

PRESENT
me acordaría
te acordarías
se acordaría
nos acordaríamos
os acordaríais
se acordarían

SUBJUNCTIVE

PRESENT
me acuerde
te acuerdes
se acuerde
nos acordemos
os acordéis
se acuerden

PRESENT INFINITIVE
acordarse

PAST INFINITIVE
haberse acordado

PERFECT
me habría acordado
te habrías acordado
se habría acordado
nos habríamos acordado
os habríais acordado
se habrían acordado

IMPERFECT
me acord-ara/ase
te acord-aras/ases
se acord-ara/ase
nos acord-áramos/ásemos
os acord-arais/aseis
se acord-aran/asen

PRESENT PARTICIPLE
acordándose

PAST PARTICIPLE
acordado

PAST PERFECT
me hubiera acordado
te hubieras acordado
se hubiera acordado
nos hubiéramos acordado
os hubierais acordado
se hubieran acordado

IMPERATIVE
(tú) acuérdate
(Vd) acuérdese
(nosotros) acordémonos
(vosotros) acordaos
(Vds) acuérdense

PRESENT PERFECT
me haya acordado etc
see page 100

ACTUAR to act

INDICATIVE

PRESENT	FUTURE	IMPERFECT
actúo	actuaré	actuaba
actúas	actuarás	actuabas
actúa	actuará	actuaba
actuamos	actuaremos	actuábamos
actuáis	actuaréis	actuabais
actúan	actuarán	actuaban

PRETERITE	PRESENT PERFECT	PAST PERFECT
actué	he actuado	había actuado
actuaste	has actuado	habías actuado
actuó	ha actuado	había actuado
actuamos	hemos actuado	habíamos actuado
actuasteis	habéis actuado	habíais actuado
actuaron	han actuado	habían actuado

PRETERITE PERFECT
hube actuado etc
see *page 100*

FUTURE PERFECT
habré actuado etc
see *page 100*

CONDITIONAL

PRESENT		
actuaría		
actuarías		
actuaría		
actuaríamos		
actuaríais		
actuarían		

PERFECT
habría actuado
habrías actuado
habría actuado
habríamos actuado
habríais actuado
habrían actuado

SUBJUNCTIVE

PRESENT
actúe
actúes
actúe
actuemos
actuéis
actúen

IMPERFECT
actu-ara/ase
actu-aras/ases
actu-ara/ase
actu-áramos/ásemos
actu-arais/aseis
actu-aran/asen

PAST PERFECT
hubiera actuado
hubieras actuado
hubiera actuado
hubiéramos actuado
hubierais actuado
hubieran actuado

PRESENT PERFECT
haya actuado etc
see *page 100*

IMPERATIVE
(tú) actúa
(Vd) actúe
(nosotros) actuemos
(vosotros) actuad
(Vds) actúen

PRESENT INFINITIVE
actuar

PAST INFINITIVE
haber actuado

PRESENT PARTICIPLE
actuando

PAST PARTICIPLE
actuado

ADECUAR to adapt, to make suitable

INDICATIVE

PRESENT	FUTURE	IMPERFECT
adecuo	adecuaré	adecuaba
adecuas	adecuarás	adecuabas
adecua	adecuará	adecuaba
adecuamos	adecuaremos	adecuábamos
adecuáis	adecuaréis	adecuabais
adecuan	adecuarán	adecuaban

PRETERITE	PRESENT PERFECT	PAST PERFECT
adecué	he adecuado	había adecuado
adecuaste	has adecuado	habías adecuado
adecuó	ha adecuado	había adecuado
adecuamos	hemos adecuado	habíamos adecuado
adecuasteis	habéis adecuado	habíais adecuado
adecuaron	han adecuado	habían adecuado

PRETERITE PERFECT	FUTURE PERFECT
hube adecuado etc	habré adecuado etc
see page 100	*see page 100*

CONDITIONAL	SUBJUNCTIVE	
PRESENT	**PRESENT**	***PRESENT INFINITIVE***
adecuaría	adecue	adecuar
adecuarías	adecues	
adecuaría	adecue	***PAST INFINITIVE***
adecuaríamos	adecuemos	haber adecuado
adecuaríais	adecuéis	
adecuarían	adecuen	

PERFECT	**IMPERFECT**	***PRESENT PARTICIPLE***
habría adecuado	adecu-ara/ase	adecuando
habrías adecuado	adecu-aras/ases	
habría adecuado	adecu-ara/ase	***PAST PARTICIPLE***
habríamos adecuado	adecu-áramos/ásemos	adecuado
habríais adecuado	adecu-arais/aseis	
habrían adecuado	adecu-aran/asen	

PAST PERFECT
hubiera adecuado
hubieras adecuado
hubiera adecuado
hubiéramos adecuado
hubierais adecuado
hubieran adecuado

IMPERATIVE

(tú) adecua
(Vd) adecue
(nosotros) adecuemos
(vosotros) adecuad
(Vds) adecuen

PRESENT PERFECT
haya adecuado etc
see page 100

ADQUIRIR to acquire

INDICATIVE

PRESENT
adquiero
adquieres
adquiere
adquirimos
adquirís
adquieren

FUTURE
adquiriré
adquirirás
adquirirá
adquiriremos
adquiriréis
adquirirán

IMPERFECT
adquiría
adquirías
adquiría
adquiríamos
adquiríais
adquirían

PRETERITE
adquirí
adquiriste
adquirió
adquirimos
adquiristeis
adquirieron

PRESENT PERFECT
he adquirido
has adquirido
ha adquirido
hemos adquirido
habéis adquirido
han adquirido

PAST PERFECT
había adquirido
habías adquirido
había adquirido
habíamos adquirido
habíais adquirido
habían adquirido

PRETERITE PERFECT
hube adquirido etc
see page 100

FUTURE PERFECT
habré adquirido etc
see page 100

CONDITIONAL

PRESENT
adquiriría
adquirirías
adquiriría
adquiriríamos
adquiriríais
adquirirían

SUBJUNCTIVE

PRESENT
adquiera
adquieras
adquiera
adquiramos
adquiráis
adquieran

PRESENT INFINITIVE
adquirir

PAST INFINITIVE
haber adquirido

PERFECT
habría adquirido
habrías adquirido
habría adquirido
habríamos adquirido
habríais adquirido
habrían adquirido

IMPERFECT
adquir-iera/iese
adquir-ieras/ieses
adquir-iera/iese
adquir-iéramos/iésemos
adquir-ierais/ieseis
adquir-ieran/iesen

PRESENT PARTICIPLE
adquiriendo

PAST PARTICIPLE
adquirido

PAST PERFECT
hubiera adquirido
hubieras adquirido
hubiera adquirido
hubiéramos adquirido
hubierais adquirido
hubieran adquirido

IMPERATIVE

(tú) adquiere
(Vd) adquiera
(nosotros) adquiramos
(vosotros) adquirid
(Vds) adquieran

PRESENT PERFECT
haya adquirido etc
see page 100

AGRADECER to be grateful for, to thank

INDICATIVE

PRESENT	**FUTURE**	**IMPERFECT**
agradezco	agradeceré	agradecía
agradeces	agradecerás	agradecías
agradece	agradecerá	agradecía
agradecemos	agradeceremos	agradecíamos
agradecéis	agradeceréis	agradecíais
agradecen	agradecerán	agradecían

PRETERITE	**PRESENT PERFECT**	**PAST PERFECT**
agradecí	he agradecido	había agradecido
agradeciste	has agradecido	habías agradecido
agradeció	ha agradecido	había agradecido
agradecimos	hemos agradecido	habíamos agradecido
agradecisteis	habéis agradecido	habíais agradecido
agradecieron	han agradecido	habían agradecido

PRETERITE PERFECT	**FUTURE PERFECT**
hube agradecido etc	habré agradecido etc
see page 100	see page 100

CONDITIONAL	**SUBJUNCTIVE**	
PRESENT	**PRESENT**	**PRESENT INFINITIVE**
agradecería	agradezca	agradecer
agradecerías	agradezcas	
agradecería	agradezca	**PAST INFINITIVE**
agradeceríamos	agradezcamos	haber agradecido
agradeceríais	agradezcáis	
agradecerían	agradezcan	

PERFECT	**IMPERFECT**	**PRESENT PARTICIPLE**
habría agradecido	agradec-iera/iese	agradeciendo
habrías agradecido	agradec-ieras/ieses	
habría agradecido	agradec-iera/iese	**PAST PARTICIPLE**
habríamos agradecido	agradec-iéramos/iésemos	agradecido
habríais agradecido	agradec-ierais/ieseis	
habrían agradecido	agradec-ieran/iesen	

PAST PERFECT

hubiera agradecido
hubieras agradecido
hubiera agradecido
hubiéramos agradecido
hubierais agradecido
hubieran agradecido

IMPERATIVE

(tú) agradece
(Vd) agradezca
(nosotros) agradezcamos
(vosotros) agradeced
(Vds) agradezcan

PRESENT PERFECT

haya agradecido etc
see page 100

ALCANZAR to catch, to reach

INDICATIVE

PRESENT
alcanzo
alcanzas
alcanza
alcanzamos
alcanzáis
alcanzan

FUTURE
alcanzaré
alcanzarás
alcanzará
alcanzaremos
alcanzaréis
alcanzarán

IMPERFECT
alcanzaba
alcanzabas
alcanzaba
alcanzábamos
alcanzabais
alcanzaban

PRETERITE
alcancé
alcanzaste
alcanzó
alcanzamos
alcanzasteis
alcanzaron

PRESENT PERFECT
he alcanzado
has alcanzado
ha alcanzado
hemos alcanzado
habéis alcanzado
han alcanzado

PAST PERFECT
había alcanzado
habías alcanzado
había alcanzado
habíamos alcanzado
habíais alcanzado
habían alcanzado

PRETERITE PERFECT
hube alcanzado etc
see *page 100*

FUTURE PERFECT
habré alcanzado etc
see *page 100*

CONDITIONAL

PRESENT
alcanzaría
alcanzarías
alcanzaría
alcanzaríamos
alcanzaríais
alcanzarían

SUBJUNCTIVE

PRESENT
alcance
alcances
alcance
alcancemos
alcancéis
alcancen

PRESENT INFINITIVE
alcanzar

PAST INFINITIVE
haber alcanzado

PERFECT
habría alcanzado
habrías alcanzado
habría alcanzado
habríamos alcanzado
habríais alcanzado
habrían alcanzado

IMPERFECT
alcanz-ara/ase
alcanz-aras/ases
alcanz-ara/ase
alcanz-áramos/ásemos
alcanz-arais/aseis
alcanz-aran/asen

PRESENT PARTICIPLE
alcanzando

PAST PARTICIPLE
alcanzado

PAST PERFECT
hubiera alcanzado
hubieras alcanzado
hubiera alcanzado
hubiéramos alcanzado
hubierais alcanzado
hubieran alcanzado

IMPERATIVE
(tú) alcanza
(Vd) alcance
(nosotros) alcancemos
(vosotros) alcanzad
(Vds) alcancen

PRESENT PERFECT
haya alcanzado etc
see *page 100*

INDICATIVE

PRESENT	FUTURE	IMPERFECT
almuerzo	almorzaré	almorzaba
almuerzas	almorzarás	almorzabas
almuerza	almorzará	almorzaba
almorzamos	almorzaremos	almorzábamos
almorzáis	almorzaréis	almorzabais
almuerzan	almorzarán	almorzaban

PRETERITE	PRESENT PERFECT	PAST PERFECT
almorcé	he almorzado	había almorzado
almorzaste	has almorzado	habías almorzado
almorzó	ha almorzado	había almorzado
almorzamos	hemos almorzado	habíamos almorzado
almorzasteis	habéis almorzado	habíais almorzado
almorzaron	han almorzado	habían almorzado

PRETERITE PERFECT	FUTURE PERFECT
hube almorzado etc	habré almorzado etc
see page 100	see page 100

CONDITIONAL	SUBJUNCTIVE	PRESENT
PRESENT	**PRESENT**	**INFINITIVE**
almorzaría	almuerce	almorzar
almorzarías	almuerces	
almorzaría	almuerce	**PAST**
almorzaríamos	almorcemos	**INFINITIVE**
almorzaríais	almorcéis	haber almorzado
almorzarían	almuercen	

PERFECT	IMPERFECT	PRESENT
habría almorzado	almorz-ara/ase	**PARTICIPLE**
habrías almorzado	almorz-aras/ases	almorzando
habría almorzado	almorz-ara/ase	
habríamos almorzado	almorz-áramos/ásemos	**PAST**
habríais almorzado	almorz-arais/aseis	**PARTICIPLE**
habrían almorzado	almorz-aran/asen	almorzado

PAST PERFECT

hubiera almorzado
hubieras almorzado
hubiera almorzado
hubiéramos almorzado
hubierais almorzado
hubieran almorzado

IMPERATIVE

(tú) almuerza	
(Vd) almuerce	
(nosotros) almorcemos	**PRESENT PERFECT**
(vosotros) almorzad	haya almorzado etc
(Vds) almuercen	see page 100

AMANECER to dawn

INDICATIVE

PRESENT
amanezco
amaneces
amanece
amanecemos
amanecéis
amanecen

FUTURE
amaneceré
amanecerás
amanecerá
amaneceremos
amaneceréis
amanecerán

IMPERFECT
amanecía
amanecías
amanecía
amanecíamos
amanecíais
amanecían

PRETERITE
amanecí
amaneciste
amaneció
amanecimos
amanecisteis
amanecieron

PRESENT PERFECT
he amanecido
has amanecido
ha amanecido
hemos amanecido
habéis amanecido
han amanecido

PAST PERFECT
había amanecido
habías amanecido
había amanecido
habíamos amanecido
habíais amanecido
habían amanecido

PRETERITE PERFECT
hube amanecido etc
see *page 100*

FUTURE PERFECT
habré amanecido etc
see *page 100*

CONDITIONAL

PRESENT
amanecería
amanecerías
amanecería
amaneceríamos
amaneceríais
amanecerían

PERFECT
habría amanecido
habrías amanecido
habría amanecido
habríamos amanecido
habríais amanecido
habrían amanecido

SUBJUNCTIVE

PRESENT
amanezca
amanezcas
amanezca
amanezcamos
amanezcáis
amanezcan

IMPERFECT
amanec-iera/iese
amanec-ieras/ieses
amanec-iera/iese
amanec-iéramos/iésemos
amanec-ierais/ieseis
amanec-ieran/iesen

PAST PERFECT
hubiera amanecido
hubieras amanecido
hubiera amanecido
hubiéramos amanecido
hubierais amanecido
hubieran amanecido

PRESENT PERFECT
haya amanecido etc
see *page 100*

IMPERATIVE
(tú) amanece
(Vd) amanezca
(nosotros) amanezcamos
(vosotros) amaneced
(Vds) amanezcan

PRESENT INFINITIVE
amanecer

PAST INFINITIVE
haber amanecido

PRESENT PARTICIPLE
amaneciendo

PAST PARTICIPLE
amanecido

Note: **amanecer** is mainly used in the third person singular

INDICATIVE

PRESENT	FUTURE	IMPERFECT
ando	andaré	andaba
andas	andarás	andabas
anda	andará	andaba
andamos	andaremos	andábamos
andáis	andaréis	andabais
andan	andarán	andaban

PRETERITE	PRESENT PERFECT	PAST PERFECT
anduve	he andado	había andado
anduviste	has andado	habías andado
anduvo	ha andado	había andado
anduvimos	hemos andado	habíamos andado
anduvisteis	habéis andado	habíais andado
anduvieron	han andado	habían andado

PRETERITE PERFECT	FUTURE PERFECT
hube andado etc	habré andado etc
see page 100	*see page 100*

CONDITIONAL	SUBJUNCTIVE	PRESENT INFINITIVE
PRESENT	**PRESENT**	
andaría	ande	andar
andarías	andes	
andaría	ande	**PAST INFINITIVE**
andaríamos	andemos	haber andado
andaríais	andéis	
andarían	anden	

PERFECT	IMPERFECT	PRESENT PARTICIPLE
habría andado	anduv-iera/iese	andando
habrías andado	anduv-ieras/ieses	
habría andado	anduv-iera/iese	**PAST PARTICIPLE**
habríamos andado	anduv-iéramos/iésemos	andado
habríais andado	anduv-ierais/ieseis	
habrían andado	anduv-ieran/iesen	

PAST PERFECT

hubiera andado
hubieras andado
hubiera andado
hubiéramos andado
hubierais andado
hubieran andado

IMPERATIVE

(tú) anda
(Vd) ande
(nosotros) andemos
(vosotros) andad
(Vds) anden

PRESENT PERFECT

haya andado etc
see page 100

ANUNCIAR to announce

INDICATIVE

PRESENT	FUTURE	IMPERFECT
anuncio	anunciaré	anunciaba
anuncias	anunciarás	anunciabas
anuncia	anunciará	anunciaba
anunciamos	anunciaremos	anunciábamos
anunciáis	anunciaréis	anunciabais
anuncian	anunciarán	anunciaban

PRETERITE	PRESENT PERFECT	PAST PERFECT
anuncié	he anunciado	había anunciado
anunciaste	has anunciado	habías anunciado
anunció	ha anunciado	había anunciado
anunciamos	hemos anunciado	habíamos anunciado
anunciasteis	habéis anunciado	habíais anunciado
anunciaron	han anunciado	habían anunciado

PRETERITE PERFECT	FUTURE PERFECT
hube anunciado etc	habré anunciado etc
see page 100	see page 100

CONDITIONAL / SUBJUNCTIVE

CONDITIONAL PRESENT	SUBJUNCTIVE PRESENT	PRESENT INFINITIVE
anunciaría	anuncie	anunciar
anunciarías	anuncies	
anunciaría	anuncie	PAST INFINITIVE
anunciaríamos	anunciemos	haber anunciado
anunciaríais	anunciéis	
anunciarían	anuncien	

PERFECT	IMPERFECT	PRESENT PARTICIPLE
habría anunciado	anunci-ara/ase	anunciando
habrías anunciado	anunci-aras/ases	
habría anunciado	anunci-ara/ase	PAST PARTICIPLE
habríamos anunciado	anunci-áramos/ásemos	anunciado
habríais anunciado	anunci-arais/aseis	
habrían anunciado	anunci-aran/asen	

PAST PERFECT
hubiera anunciado
hubieras anunciado
hubiera anunciado
hubiéramos anunciado
hubierais anunciado
hubieran anunciado

IMPERATIVE

(tú) anuncia
(Vd) anuncie
(nosotros) anunciemos
(vosotros) anunciad
(Vds) anuncien

PRESENT PERFECT
haya anunciado etc
see page 100

APARECER to appear

INDICATIVE

PRESENT
aparezco
apareces
aparece
aparecemos
aparecéis
aparecen

FUTURE
apareceré
aparecerás
aparecerá
apareceremos
apareceréis
aparecerán

IMPERFECT
aparecía
aparecías
aparecía
aparecíamos
aparecíais
aparecían

PRETERITE
aparecí
apareciste
apareció
aparecimos
aparecisteis
aparecieron

PRESENT PERFECT
he aparecido
has aparecido
ha aparecido
hemos aparecido
habéis aparecido
han aparecido

PAST PERFECT
había aparecido
habías aparecido
había aparecido
habíamos aparecido
habíais aparecido
habían aparecido

PRETERITE PERFECT
hube aparecido etc
see page 100

FUTURE PERFECT
habré aparecido etc
see page 100

CONDITIONAL

PRESENT
aparecería
aparecerías
aparecería
apareceríamos
apareceríais
aparecerían

SUBJUNCTIVE

PRESENT
aparezca
aparezcas
aparezca
aparezcamos
aparezcáis
aparezcan

PRESENT INFINITIVE
aparecer

PAST INFINITIVE
haber aparecido

PERFECT
habría aparecido
habrías aparecido
habría aparecido
habríamos aparecido
habríais aparecido
habrían aparecido

IMPERFECT
aparec-iera/iese
aparec-ieras/ieses
aparec-iera/iese
aparec-iéramos/iésemos
aparec-ierais/ieseis
aparec-ieran/iesen

PRESENT PARTICIPLE
apareciendo

PAST PARTICIPLE
aparecido

PAST PERFECT
hubiera aparecido
hubieras aparecido
hubiera aparecido
hubiéramos aparecido
hubierais aparecido
hubieran aparecido

IMPERATIVE

(tú) aparece
(Vd) aparezca
(nosotros) aparezcamos
(vosotros) apareced
(Vds) aparezcan

PRESENT PERFECT
haya aparecido etc
see page 100

APETECER to feel like, to appeal to 16

INDICATIVE

PRESENT
apetezco
apeteces
apetece
apetecemos
apetecéis
apetecen

FUTURE
apeteceré
apetecerás
apetecerá
apeteceremos
apeteceréis
apetecerán

IMPERFECT
apetecía
apetecías
apetecía
apetecíamos
apetecíais
apetecían

PRETERITE
apetecí
apeteciste
apeteció
apetecimos
apetecisteis
apetecieron

PRESENT PERFECT
he apetecido
has apetecido
ha apetecido
hemos apetecido
habéis apetecido
han apetecido

PAST PERFECT
había apetecido
habías apetecido
había apetecido
habíamos apetecido
habíais apetecido
habían apetecido

PRETERITE PERFECT
hube apetecido etc
see page 100

FUTURE PERFECT
habré apetecido etc
see page 100

CONDITIONAL

PRESENT
apetecería
apetecerías
apetecería
apeteceríamos
apeteceríais
apetecerían

PERFECT
habría apetecido
habrías apetecido
habría apetecido
habríamos apetecido
habríais apetecido
habrían apetecido

SUBJUNCTIVE

PRESENT
apetezca
apetezcas
apetezca
apetezcamos
apetezcáis
apetezcan

IMPERFECT
apetec-iera/iese
apetec-ieras/ieses
apetec-iera/iese
apetec-iéramos/iésemos
apetec-ierais/ieseis
apetec-ieran/iesen

PAST PERFECT
hubiera apetecido
hubieras apetecido
hubiera apetecido
hubiéramos apetecido
hubieras apetecido
hubieran apetecido

PRESENT PERFECT
haya apetecido etc
see page 100

IMPERATIVE

(tú) apetece
(Vd) apetezca
(nosotros) apetezcamos
(vosotros) apeteced
(Vds) apetezcan

PRESENT INFINITIVE
apetecer

PAST INFINITIVE
haber apetecido

PRESENT PARTICIPLE
apeteciendo

PAST PARTICIPLE
apetecido

Note: when **apetecer** means "to feel like", it is *only* used in the third person eg me apetece ... "I feel like ..." etc

APRETAR to tighten (up)

INDICATIVE
PRESENT

aprieto
aprietas
aprieta
apretamos
apretáis
aprietan

FUTURE

apretaré
apretarás
apretará
apretaremos
apretaréis
apretarán

IMPERFECT

apretaba
apretabas
apretaba
apretábamos
apretabais
apretaban

PRETERITE

apreté
apretaste
apretó
apretamos
apretasteis
apretaron

PRESENT PERFECT

he apretado
has apretado
ha apretado
hemos apretado
habéis apretado
han apretado

PAST PERFECT

había apretado
habías apretado
había apretado
habíamos apretado
habíais apretado
habían apretado

PRETERITE PERFECT
hube apretado etc
see page 100

FUTURE PERFECT
habré apretado etc
see page 100

CONDITIONAL
PRESENT

apretaría
apretarías
apretaría
apretaríamos
apretaríais
apretarían

SUBJUNCTIVE
PRESENT

apriete
aprietes
apriete
apretemos
apretéis
aprieten

PRESENT INFINITIVE

apretar

PAST INFINITIVE

haber apretado

PERFECT

habría apretado
habrías apretado
habría apretado
habríamos apretado
habríais apretado
habrían apretado

IMPERFECT

apret-ara/ase
apret-aras/ases
apret-ara/ase
apret-áramos/ásemos
apret-arais/aseis
apret-aran/asen

PRESENT PARTICIPLE

apretando

PAST PARTICIPLE

apretado

PAST PERFECT

hubiera apretado
hubieras apretado
hubiera apretado
hubiéramos apretado
hubierais apretado
hubieran apretado

IMPERATIVE

(tú) aprieta
(Vd) apriete
(nosotros) apretemos
(vosotros) apretad
(Vds) aprieten

PRESENT PERFECT

haya apretado etc
see page 100

APROBAR to approve, to pass

INDICATIVE

PRESENT	FUTURE	IMPERFECT
apruebo	aprobaré	aprobaba
apruebas	aprobarás	aprobabas
aprueba	aprobará	aprobaba
aprobamos	aprobaremos	aprobábamos
aprobáis	aprobaréis	aprobabais
aprueban	aprobarán	aprobaban

PRETERITE	PRESENT PERFECT	PAST PERFECT
aprobé	he aprobado	había aprobado
aprobaste	has aprobado	habías aprobado
aprobó	ha aprobado	había aprobado
aprobamos	hemos aprobado	habíamos aprobado
aprobasteis	habéis aprobado	habíais aprobado
aprobaron	han aprobado	habían aprobado

PRETERITE PERFECT	FUTURE PERFECT
hube aprobado etc	habré aprobado etc
see page 100	*see page 100*

CONDITIONAL	SUBJUNCTIVE	
PRESENT	**PRESENT**	**PRESENT INFINITIVE**
aprobaría	apruebe	aprobar
aprobarías	apruebes	
aprobaría	apruebe	**PAST INFINITIVE**
aprobaríamos	aprobemos	haber aprobado
aprobaríais	aprobéis	
aprobarían	aprueben	

PERFECT	**IMPERFECT**	**PRESENT PARTICIPLE**
habría aprobado	aprob-ara/ase	aprobando
habrías aprobado	aprob-aras/ases	
habría aprobado	aprob-ara/ase	**PAST PARTICIPLE**
habríamos aprobado	aprob-áramos/ásemos	aprobado
habríais aprobado	aprob-arais/aseis	
habrían aprobado	aprob-aran/asen	

PAST PERFECT
hubiera aprobado
hubieras aprobado
hubiera aprobado
hubiéramos aprobado
hubierais aprobado
hubieran aprobado

IMPERATIVE

(tú) aprueba
(Vd) apruebe
(nosotros) aprobemos
(vosotros) aprobad
(Vds) aprueben

PRESENT PERFECT
haya aprobado etc
see page 100

INDICATIVE

PRESENT	**FUTURE**	**IMPERFECT**
arranco	arrancaré	arrancaba
arrancas	arrancarás	arrancabas
arranca	arrancará	arrancaba
arrancamos	arrancaremos	arrancábamos
arrancáis	arrancaréis	arrancabais
arrancan	arrancarán	arrancaban

PRETERITE	**PRESENT PERFECT**	**PAST PERFECT**
arranqué	he arrancado	había arrancado
arrancaste	has arrancado	habías arrancado
arrancó	ha arrancado	había arrancado
arrancamos	hemos arrancado	habíamos arrancado
arrancasteis	habéis arrancado	habíais arrancado
arrancaron	han arrancado	habían arrancado

PRETERITE PERFECT	**FUTURE PERFECT**
hube arrancado etc	habré arrancado etc
see page 100	*see page 100*

CONDITIONAL

PRESENT	**SUBJUNCTIVE** **PRESENT**	*PRESENT* *INFINITIVE*
arrancaría	arranque	arrancar
arrancarías	arranques	
arrancaría	arranque	*PAST*
arrancaríamos	arranquemos	*INFINITIVE*
arrancaríais	arranquéis	haber arrancado
arrancarían	arranquen	

PERFECT	**IMPERFECT**	*PRESENT* *PARTICIPLE*
habría arrancado	arranc-ara/ase	arrancando
habrías arrancado	arranc-aras/ases	
habría arrancado	arranc-ara/ase	
habríamos arrancado	arranc-áramos/ásemos	*PAST*
habríais arrancado	arranc-arais/aseis	*PARTICIPLE*
habrían arrancado	arranc-aran/asen	arrancado

PAST PERFECT

hubiera arrancado
hubieras arrancado
hubiera arrancado
hubiéramos arrancado
hubierais arrancado
hubieran arrancado

IMPERATIVE

(tú) arranca
(Vd) arranque
(nosotros) arranquemos
(vosotros) arrancad
(Vds) arranquen

PRESENT PERFECT

haya arrancado etc
see page 100

INDICATIVE
PRESENT
arreglo
arreglas
arregla
arreglamos
arregláis
arreglan

FUTURE
arreglaré
arreglarás
arreglará
arreglaremos
arreglaréis
arreglarán

IMPERFECT
arreglaba
arreglabas
arreglaba
arreglábamos
arreglabais
arreglaban

PRETERITE
arreglé
arreglaste
arregló
arreglamos
arreglasteis
arreglaron

PRESENT PERFECT
he arreglado
has arreglado
ha arreglado
hemos arreglado
habéis arreglado
han arreglado

PAST PERFECT
había arreglado
habías arreglado
había arreglado
habíamos arreglado
habíais arreglado
habían arreglado

PRETERITE PERFECT
hube arreglado etc
see page 100

FUTURE PERFECT
habré arreglado etc
see page 100

CONDITIONAL
PRESENT
arreglaría
arreglarías
arreglaría
arreglaríamos
arreglaríais
arreglarían

PERFECT
habría arreglado
habrías arreglado
habría arreglado
habríamos arreglado
habríais arreglado
habrían arreglado

SUBJUNCTIVE
PRESENT
arregle
arregles
arregle
arreglemos
arregléis
arreglen

IMPERFECT
arregl-ara/ase
arregl-aras/ases
arregl-ara/ase
arregl-áramos/ásemos
arregl-arais/aseis
arregl-aran/asen

PAST PERFECT
hubiera arreglado
hubieras arreglado
hubiera arreglado
hubiéramos arreglado
hubierais arreglado
hubieran arreglado

PRESENT PERFECT
haya arreglado etc
see page 100

IMPERATIVE
(tú) arregla
(Vd) arregle
(nosotros) arreglemos
(vosotros) arreglad
(Vds) arreglen

PRESENT INFINITIVE
arreglar

PAST INFINITIVE
haber arreglado

PRESENT PARTICIPLE
arreglando

PAST PARTICIPLE
arreglado

ARREPENTIRSE to regret, to repent

INDICATIVE

PRESENT	FUTURE	IMPERFECT
me arrepiento	me arrepentiré	me arrepentía
te arrepientes	te arrepentirás	te arrepentías
se arrepiente	se arrepentirá	se arrepentía
nos arrepentimos	nos arrepentiremos	nos arrepentíamos
os arrepentís	os arrepentiréis	os arrepentíais
se arrepienten	se arrepentirán	se arrepentían

PRETERITE	PRESENT PERFECT	PAST PERFECT
me arrepentí	me he arrepentido	me había arrepentido
te arrepentiste	te has arrepentido	te habías arrepentido
se arrepintió	se ha arrepentido	se había arrepentido
nos arrepentimos	nos hemos arrepentido	nos habíamos arrepentido
os arrepentisteis	os habéis arrepentido	os habíais arrepentido
se arrepintieron	se han arrepentido	se habían arrepentido

PRETERITE PERFECT	FUTURE PERFECT
me hube arrepentido etc	me habré arrepentido etc
see page 100	*see page 100*

CONDITIONAL

SUBJUNCTIVE

CONDITIONAL PRESENT	SUBJUNCTIVE PRESENT	
me arrepentiría	me arrepienta	**PRESENT INFINITIVE**
te arrepentirías	te arrepientas	arrepentirse
se arrepentiría	se arrepienta	
nos arrepentiríamos	nos arrepintamos	**PAST INFINITIVE**
os arrepentiríais	os arrepintáis	haberse arrepentido
se arrepentirían	se arrepientan	

PERFECT	IMPERFECT	
me habría arrepentido	me arrepint-iera/iese	**PRESENT PARTICIPLE**
te habrías arrepentido	te arrepint-ieras/ieses	arrepintiéndose
se habría arrepentido	se arrepint-iera/iese	
nos habríamos arrepentido	nos arrepint-iéramos/iésemos	**PAST PARTICIPLE**
os habríais arrepentido	os arrepint-ierais/ieseis	arrepentido
se habrían arrepentido	se arrepint-ieran/iesen	

PAST PERFECT

me hubiera arrepentido
te hubieras arrepentido
se hubiera arrepentido
nos hubiéramos arrepentido
os hubierais arrepentido
se hubieran arrepentido

IMPERATIVE

(tú) arrepiéntate
(Vd) arrepiéntase
(nosotros) arrepintámonos
(vosotros) arrepentíos
(Vds) arrepiéntanse

PRESENT PERFECT

me haya arrepentido etc
see page 100

INDICATIVE

PRESENT	**FUTURE**	**IMPERFECT**
asciendo	ascenderé	ascendía
asciendes	ascenderás	ascendías
asciende	ascenderá	ascendía
ascendemos	ascenderemos	ascendíamos
ascendéis	ascenderéis	ascendíais
ascienden	ascenderán	ascendían

PRETERITE	**PRESENT PERFECT**	**PAST PERFECT**
ascendí	he ascendido	había ascendido
ascendiste	has ascendido	habías ascendido
ascendió	ha ascendido	había ascendido
ascendimos	hemos ascendido	habíamos ascendido
ascendisteis	habéis ascendido	habíais ascendido
ascendieron	han ascendido	habían ascendido

PRETERITE PERFECT	**FUTURE PERFECT**
hube ascendido etc	habré ascendido etc
see page 100	see page 100

CONDITIONAL   *SUBJUNCTIVE*

PRESENT	**PRESENT**	**PRESENT INFINITIVE**
ascendería	ascienda	ascender
ascenderías	asciendas	
ascendería	ascienda	**PAST INFINITIVE**
ascenderíamos	ascendamos	haber ascendido
ascenderíais	ascendáis	
ascenderían	asciendan	

PERFECT	**IMPERFECT**	**PRESENT PARTICIPLE**
habría ascendido	ascend-iera/iese	ascendiendo
habrías ascendido	ascend-ieras/ieses	
habría ascendido	ascend-iera/iese	**PAST PARTICIPLE**
habríamos ascendido	ascend-iéramos/iésemos	ascendido
habríais ascendido	ascend-ierais/ieseis	
habrían ascendido	ascend-ieran/iesen	

PAST PERFECT
hubiera ascendido
hubieras ascendido
hubiera ascendido
hubiéramos ascendido
hubierais ascendido
hubieran ascendido

IMPERATIVE

(tú) asciende
(Vd) ascienda
(nosotros) ascendamos
(vosotros) ascended
(Vds) asciendan

PRESENT PERFECT
haya ascendido etc
see page 100

INDICATIVE

PRESENT	FUTURE	IMPERFECT
atravieso	atravesaré	atravesaba
atraviesas	atravesarás	atravesabas
atraviesa	atravesará	atravesaba
atravesamos	atravesaremos	atravesábamos
atravesáis	atravesaréis	atravesabais
atraviesan	atravesarán	atravesaban

PRETERITE	PRESENT PERFECT	PAST PERFECT
atravesé	he atravesado	había atravesado
atravesaste	has atravesado	habías atravesado
atravesó	ha atravesado	había atravesado
atravesamos	hemos atravesado	habíamos atravesado
atravesasteis	habéis atravesado	habíais atravesado
atravesaron	han atravesado	habían atravesado

PRETERITE PERFECT	FUTURE PERFECT
hube atravesado etc	habré atravesado etc
see page 100	see page 100

CONDITIONAL

PRESENT	SUBJUNCTIVE PRESENT	
atravesaría	atraviese	**PRESENT INFINITIVE** atravesar
atravesarías	atravieses	
atravesaría	atraviese	**PAST INFINITIVE**
atravesaríamos	atravesemos	haber atravesado
atravesaríais	atraveséis	
atravesarían	atraviesen	

PERFECT	IMPERFECT	
habría atravesado	atraves-ara/ase	**PRESENT PARTICIPLE** atravesando
habrías atravesado	atraves-aras/ases	
habría atravesado	atraves-ara/ase	**PAST PARTICIPLE**
habríamos atravesado	atraves-áramos/ásemos	atravesado
habríais atravesado	atraves-arais/aseis	
habrían atravesado	atraves-aran/asen	

PAST PERFECT
hubiera atravesado
hubieras atravesado
hubiera atravesado
hubiéramos atravesado
hubierais atravesado
hubieran atravesado

IMPERATIVE

(tú) atraviesa
(Vd) atraviese
(nosotros) atravesemos
(vosotros) atravesad
(Vds) atraviesen

PRESENT PERFECT
haya atravesado etc
see page 100

AVERGONZARSE to be ashamed — 24

INDICATIVE

PRESENT
me avergüenzo
te avergüenzas
se avergüenza
nos avergonzamos
os avergonzáis
se avergüenzan

FUTURE
me avergonzaré
te avergonzarás
se avergonzará
nos avergonzaremos
os avergonzaréis
se avergonzarán

IMPERFECT
me avergonzaba
te avergonzabas
se avergonzaba
nos avergonzábamos
os avergonzabais
se avergonzaban

PRETERITE
me avergoncé
te avergonzaste
se avergonzó
nos avergonzamos
os avergonzasteis
se avergonzaron

PRESENT PERFECT
me he avergonzado
te has avergonzado
se ha avergonzado
nos hemos avergonzado
os habéis avergonzado
se han avergonzado

PAST PERFECT
me había avergonzado
te habías avergonzado
se había avergonzado
nos habíamos avergonzado
os habíais avergonzado
se habían avergonzado

PRETERITE PERFECT
me hube avergonzado etc
see page 100

FUTURE PERFECT
me habré avergonzado etc
see page 100

CONDITIONAL

PRESENT
me avergonzaría
te avergonzarías
se avergonzaría
nos avergonzaríamos
os avergonzaríais
se avergonzarían

PERFECT
me habría avergonzado
te habrías avergonzado
se habría avergonzado
nos habríamos avergonzado
os habríais avergonzado
se habrían avergonzado

SUBJUNCTIVE

PRESENT
me avergüence
te avergüences
se avergüence
nos avergoncemos
os avergoncéis
se avergüencen

IMPERFECT
me avergonz-ara/ase
te avergonz-aras/ases
se avergonz-ara/ase
nos avergonz-áramos/ásemos
os avergonz-arais/aseis
se avergonz-aran/asen

PAST PERFECT
me hubiera avergonzado
te hubieras avergonzado
se hubiera avergonzado
nos hubiéramos avergonzado
os hubierais avergonzado
se hubieran avergonzado

PRESENT PERFECT
me haya avergonzado etc
see page 100

IMPERATIVE
(tú) avergüénzate
(Vd) avergüéncese
(nosotros) avergoncémonos
(vosotros) avergonzaos
(Vds) avergüéncense

PRESENT INFINITIVE
avergonzarse

PAST INFINITIVE
haberse avergonzado

PRESENT PARTICIPLE
avergonzándose

PAST PARTICIPLE
avergonzado

AVERIGUAR to find out

INDICATIVE
PRESENT	**FUTURE**	**IMPERFECT**
averiguo	averiguaré	averiguaba
averiguas	averiguarás	averiguabas
averigua	averiguará	averiguaba
averiguamos	averiguaremos	averiguábamos
averiguáis	averiguaréis	averiguabais
averiguan	averiguarán	averiguaban

PRETERITE	**PRESENT PERFECT**	**PAST PERFECT**
averigüé	he averiguado	había averiguado
averiguaste	has averiguado	habías averiguado
averiguó	ha averiguado	había averiguado
averiguamos	hemos averiguado	habíamos averiguado
averiguasteis	habéis averiguado	habíais averiguado
averiguaron	han averiguado	habían averiguado

PRETERITE PERFECT	**FUTURE PERFECT**
hube averiguado etc	habré averiguado etc
see page 100	see page 100

CONDITIONAL	*SUBJUNCTIVE*	*PRESENT*
PRESENT	**PRESENT**	*INFINITIVE*
averiguaría	averigüe	averiguar
averiguarías	averigües	
averiguaría	averigüe	*PAST*
averiguaríamos	averigüemos	*INFINITIVE*
averiguaríais	averigüéis	haber averiguado
averiguarían	averigüen	

PERFECT	**IMPERFECT**	*PRESENT*
habría averiguado	averigu-ara/ase	*PARTICIPLE*
habrías averiguado	averigu-aras/ases	averiguando
habría averiguado	averigu-ara/ase	
habríamos averiguado	averigu-áramos/ásemos	*PAST*
habríais averiguado	averigu-arais/aseis	*PARTICIPLE*
habrían averiguado	averigu-aran/asen	averiguado

PAST PERFECT
hubiera averiguado
hubieras averiguado
hubiera averiguado
hubiéramos averiguado
hubierais averiguado
hubieran averiguado

IMPERATIVE
(tú) averigua
(Vd) averigüe
(nosotros) averigüemos
(vosotros) averiguad
(Vds) averigüen

PRESENT PERFECT
haya averiguado etc
see page 100

BAJAR to go down, to get off

INDICATIVE

PRESENT	FUTURE	IMPERFECT
bajo	bajaré	bajaba
bajas	bajarás	bajabas
baja	bajará	bajaba
bajamos	bajaremos	bajábamos
bajáis	bajaréis	bajabais
bajan	bajarán	bajaban

PRETERITE	PRESENT PERFECT	PAST PERFECT
bajé	he bajado	había bajado
bajaste	has bajado	habías bajado
bajó	ha bajado	había bajado
bajamos	hemos bajado	habíamos bajado
bajasteis	habéis bajado	habíais bajado
bajaron	han bajado	habían bajado

PRETERITE PERFECT	FUTURE PERFECT
hube bajado etc	habré bajado etc
see page 100	see page 100

CONDITIONAL

SUBJUNCTIVE

CONDITIONAL PRESENT	SUBJUNCTIVE PRESENT	PRESENT INFINITIVE
bajaría	baje	bajar
bajarías	bajes	
bajaría	baje	PAST INFINITIVE
bajaríamos	bajemos	
bajaríais	bajéis	haber bajado
bajarían	bajen	

PERFECT	IMPERFECT	PRESENT PARTICIPLE
habría bajado	baj-ara/ase	
habrías bajado	baj-aras/ases	bajando
habría bajado	baj-ara/ase	
habríamos bajado	baj-áramos/ásemos	PAST PARTICIPLE
habríais bajado	baj-arais/aseis	
habrían bajado	baj-aran/asen	bajado

PAST PERFECT
hubiera bajado
hubieras bajado
hubiera bajado
hubiéramos bajado
hubierais bajado
hubieran bajado

IMPERATIVE

(tú) baja
(Vd) baje
(nosotros) bajemos
(vosotros) bajad
(Vds) bajen

PRESENT PERFECT
haya bajado etc
see page 100

BAÑARSE to have a bath

INDICATIVE

PRESENT	FUTURE	IMPERFECT
me baño	bañaré	bañaba
te bañas	bañarás	bañabas
se baña	bañará	bañaba
nos bañamos	bañaremos	bañábamos
os bañáis	bañaréis	bañabais
se bañan	bañarán	bañaban

PRETERITE	PRESENT PERFECT	PAST PERFECT
me bañé	he bañado	había bañado
te bañaste	has bañado	habías bañado
se bañó	ha bañado	había bañado
nos bañamos	hemos bañado	habíamos bañado
os bañasteis	habéis bañado	habíais bañado
se bañaron	han bañado	habían bañado

PRETERITE PERFECT	FUTURE PERFECT
me hube bañado etc	me habré bañado etc
see page 100	*see page 100*

CONDITIONAL

PRESENT		
me bañaría		
te bañarías		
se bañaría		
nos bañaríamos		
os bañaríais		
se bañarían		

PERFECT
habría bañado
habrías bañado
habría bañado
habríamos bañado
habríais bañado
habrían bañado

SUBJUNCTIVE

PRESENT
me bañe
te bañes
se bañe
nos bañemos
os bañéis
se bañen

IMPERFECT
bañ-ara/ase
bañ-aras/ases
bañ-ara/ase
bañ-áramos/ásemos
bañ-arais/aseis
bañ-aran/asen

PAST PERFECT
hubiera bañado
hubieras bañado
hubiera bañado
hubiéramos bañado
hubierais bañado
hubieran bañado

PRESENT PERFECT
me haya bañado etc
see page 100

IMPERATIVE

(tú) báñate
(Vd) báñese
(nosotros) bañémonos
(vosotros) bañaos
(Vds) báñense

PRESENT INFINITIVE
bañarse

PAST INFINITIVE
haberse bañado

PRESENT PARTICIPLE
bañándose

PAST PARTICIPLE
bañado

BEBER to drink

INDICATIVE

PRESENT	**FUTURE**	**IMPERFECT**
bebo	beberé	bebía
bebes	beberás	bebías
bebe	beberá	bebía
bebemos	beberemos	bebíamos
bebéis	beberéis	bebíais
beben	beberán	bebían

PRETERITE	**PRESENT PERFECT**	**PAST PERFECT**
bebí	he bebido	había bebido
bebiste	has bebido	habías bebido
bebió	ha bebido	había bebido
bebimos	hemos bebido	habíamos bebido
bebisteis	habéis bebido	habíais bebido
bebieron	han bebido	habían bebido

PRETERITE PERFECT	**FUTURE PERFECT**
hube bebido etc	habré bebido etc
see page 100	*see page 100*

CONDITIONAL   *SUBJUNCTIVE*

PRESENT	**PRESENT**	**PRESENT INFINITIVE**
bebería	beba	beber
beberías	bebas	
bebería	beba	**PAST INFINITIVE**
beberíamos	bebamos	haber bebido
beberíais	bebáis	
beberían	beban	

PERFECT	**IMPERFECT**	**PRESENT PARTICIPLE**
habría bebido	beb-iera/iese	bebiendo
habrías bebido	beb-ieras/ieses	
habría bebido	beb-iera/iese	**PAST PARTICIPLE**
habríamos bebido	beb-iéramos/iésemos	bebido
habríais bebido	beb-ierais/ieseis	
habrían bebido	beb-ieran/iesen	

PAST PERFECT
hubiera bebido
hubieras bebido
hubiera bebido
hubiéramos bebido
hubierais bebido
hubieran bebido

IMPERATIVE
(tú) bebe
(Vd) beba
(nosotros) bebamos
(vosotros) bebed
(Vds) beban

PRESENT PERFECT
haya bebido etc
see page 100

INDICATIVE

PRESENT	**FUTURE**	**IMPERFECT**
busco	buscaré	buscaba
buscas	buscarás	buscabas
busca	buscará	buscaba
buscamos	buscaremos	buscábamos
buscáis	buscaréis	buscabais
buscan	buscarán	buscaban

PRETERITE	**PRESENT PERFECT**	**PAST PERFECT**
busqué	he buscado	había buscado
buscaste	has buscado	habías buscado
buscó	ha buscado	había buscado
buscamos	hemos buscado	habíamos buscado
buscasteis	habéis buscado	habíais buscado
buscaron	han buscado	habían buscado

PRETERITE PERFECT	**FUTURE PERFECT**
hube buscado etc	habré buscado etc
see page 100	see page 100

CONDITIONAL	**SUBJUNCTIVE**	
PRESENT	**PRESENT**	*PRESENT INFINITIVE*
buscaría	busque	buscar
buscarías	busques	
buscaría	busque	*PAST INFINITIVE*
buscaríamos	busquemos	haber buscado
buscaríais	busquéis	
buscarían	busquen	

PERFECT	**IMPERFECT**	*PRESENT PARTICIPLE*
habría buscado	busc-ara/ase	buscando
habrías buscado	busc-aras/ases	
habría buscado	busc-ara/ase	*PAST PARTICIPLE*
habríamos buscado	busc-áramos/ásemos	buscado
habríais buscado	busc-arais/aseis	
habrían buscado	busc-aran/asen	

PAST PERFECT

hubiera buscado
hubieras buscado
hubiera buscado
hubiéramos buscado
hubierais buscado
hubieran buscado

IMPERATIVE

(tú) busca
(Vd) busque
(nosotros) busquemos
(vosotros) buscad
(Vds) busquen

PRESENT PERFECT

haya buscado etc
see page 100

CABER to fit

INDICATIVE

PRESENT	**FUTURE**	**IMPERFECT**
quepo	cabré	cabía
cabes	cabrás	cabías
cabe	cabrá	cabía
cabemos	cabremos	cabíamos
cabéis	cabréis	cabíais
caben	cabrán	cabían

PRETERITE	**PRESENT PERFECT**	**PAST PERFECT**
cupe	he cabido	había cabido
cupiste	has cabido	habías cabido
cupo	ha cabido	había cabido
cupimos	hemos cabido	habíamos cabido
cupisteis	habéis cabido	habíais cabido
cupieron	han cabido	habían cabido

PRETERITE PERFECT	**FUTURE PERFECT**
hube cabido etc	habré cabido etc
see page 100	see page 100

CONDITIONAL	*SUBJUNCTIVE*	*PRESENT INFINITIVE*
PRESENT	**PRESENT**	caber
cabría	quepa	
cabrías	quepas	*PAST INFINITIVE*
cabría	quepa	haber cabido
cabríamos	quepamos	
cabríais	quepáis	
cabrían	quepan	

PERFECT	**IMPERFECT**	*PRESENT PARTICIPLE*
habría cabido	cup-iera/iese	cabiendo
habrías cabido	cup-ieras/ieses	
habría cabido	cup-iera/iese	*PAST PARTICIPLE*
habríamos cabido	cup-iéramos/iésemos	cabido
habríais cabido	cup-ierais/ieseis	
habrían cabido	cup-ieran/iesen	

PAST PERFECT

hubiera cabido
hubieras cabido
hubiera cabido
hubiéramos cabido
hubierais cabido
hubieran cabido

IMPERATIVE

(tú) cabe
(Vd) quepa
(nosotros) quepamos
(vosotros) cabed
(Vds) quepan

PRESENT PERFECT

haya cabido etc
see page 100

INDICATIVE

PRESENT	**FUTURE**	**IMPERFECT**
caigo	caeré	caía
caes	caerás	caías
cae	caerá	caía
caemos	caeremos	caíamos
caéis	caeréis	caíais
caen	caerán	caían

PRETERITE	**PRESENT PERFECT**	**PAST PERFECT**
caí	he caído	había caído
caíste	has caído	habías caído
cayó	ha caído	había caído
caímos	hemos caído	habíamos caído
caísteis	habéis caído	habíais caído
cayeron	han caído	habían caído

PRETERITE PERFECT	**FUTURE PERFECT**
hube caído etc	habré caído etc
see page 100	*see page 100*

CONDITIONAL *SUBJUNCTIVE*

PRESENT	**PRESENT**	
caería	caiga	**PRESENT INFINITIVE**
caerías	caigas	caer
caería	caiga	
caeríamos	caigamos	**PAST INFINITIVE**
caeríais	caigáis	haber caído
caerían	caigan	

PERFECT	**IMPERFECT**	
habría caído	ca-yera/yese	**PRESENT PARTICIPLE**
habrías caído	ca-yeras/yeses	cayendo
habría caído	ca-yera/yese	
habríamos caído	ca-yéramos/yésemos	**PAST PARTICIPLE**
habríais caído	ca-yerais/yeseis	caído
habrían caído	ca-yeran/yesen	

PAST PERFECT
hubiera caído
hubieras caído
hubiera caído
hubiéramos caído
hubierais caído
hubieran caído

IMPERATIVE

(tú) cae
(Vd) caiga
(nosotros) caigamos
(vosotros) caed
(Vds) caigan

PRESENT PERFECT
haya caído etc
see page 100

NOTES

1 MEANING

intransitive: to fall *(rain/snow/lightning, night, leaves, bombs, prices, the
government)*
reflexive: to fall down *(a person, a building, an object)*

2 CONSTRUCTIONS

caer a	to fall onto/into *(the ground, the sea)*, to be situated to *(the left)*
caer hacia	to be situated towards *(the south)*
caer por	to be situated around *(an area)*
caer de	to fall on *(one's back, head, feet)*
caer de/desde	to fall from *(a height)*
caer en	to fall on *(a day)*, to fall into *(a trap)*

3 USAGE

intransitive:
caía la lluvia ...   the rain was falling ...

reflexive:
se cayó por las escaleras   she fell down the stairs

4 PHRASES & IDIOMS

no caigo	I don't get it
¡ahora caigo!	now I get it!
su cumpleaños cae en martes	his birthday falls on a Tuesday
¿por dónde cae el banco?	where is the bank (situated)?
cayó enfermo	he fell ill
Marta está al caer	Marta is about to arrive
(no) me cae bien	I (don't) like him
se te ha caído un pendiente	you've dropped your earring
era para caerse (de risa)	it was hysterically funny

CALENTAR to heat up

INDICATIVE

PRESENT	FUTURE	IMPERFECT
caliento	calentaré	calentaba
calientas	calentarás	calentabas
calienta	calentará	calentaba
calentamos	calentaremos	calentábamos
calentáis	calentaréis	calentabais
calientan	calentarán	calentaban

PRETERITE	PRESENT PERFECT	PAST PERFECT
calenté	he calentado	había calentado
calentaste	has calentado	habías calentado
calentó	ha calentado	había calentado
calentamos	hemos calentado	habíamos calentado
calentasteis	habéis calentado	habíais calentado
calentaron	han calentado	habían calentado

PRETERITE PERFECT
hube calentado etc
see page 100

FUTURE PERFECT
habré calentado etc
see page 100

CONDITIONAL

PRESENT		
calentaría		
calentarías		
calentaría		
calentaríamos		
calentaríais		
calentarían		

PERFECT
habría calentado
habrías calentado
habría calentado
habríamos calentado
habríais calentado
habrían calentado

SUBJUNCTIVE

PRESENT
caliente
calientes
caliente
calentemos
calentéis
calienten

IMPERFECT
calent-ara/ase
calent-aras/ases
calent-ara/ase
calent-áramos/ásemos
calent-arais/aseis
calent-aran/asen

PAST PERFECT
hubiera calentado
hubieras calentado
hubiera calentado
hubiéramos calentado
hubierais calentado
hubieran calentado

PRESENT PERFECT
haya calentado etc
see page 100

PRESENT INFINITIVE
calentar

PAST INFINITIVE
haber calentado

PRESENT PARTICIPLE
calentando

PAST PARTICIPLE
calentado

IMPERATIVE

(tú) calienta
(Vd) caliente
(nosotros) calentemos
(vosotros) calentad
(Vds) calienten

INDICATIVE

PRESENT	**FUTURE**	**IMPERFECT**
cambio	cambiaré	cambiaba
cambias	cambiarás	cambiabas
cambia	cambiará	cambiaba
cambiamos	cambiaremos	cambiábamos
cambiáis	cambiaréis	cambiabais
cambian	cambiarán	cambiaban

PRETERITE	**PRESENT PERFECT**	**PAST PERFECT**
cambié	he cambiado	había cambiado
cambiaste	has cambiado	habías cambiado
cambió	ha cambiado	había cambiado
cambiamos	hemos cambiado	habíamos camhiado
cambiasteis	habéis cambiado	habíais cambiado
cambiaron	han cambiado	habían cambiado

PRETERITE PERFECT	**FUTURE PERFECT**
hube cambiado etc	habré cambiado etc
see page 100	*see page 100*

CONDITIONAL

PRESENT	*SUBJUNCTIVE* **PRESENT**	*PRESENT INFINITIVE*
cambiaría	cambie	cambiar
cambiarías	cambies	
cambiaría	cambie	*PAST INFINITIVE*
cambiaríamos	cambiemos	haber cambiado
cambiaríais	cambiéis	
cambiarían	cambien	

PERFECT	**IMPERFECT**	*PRESENT PARTICIPLE*
habría cambiado	cambi-ara/ase	cambiando
habrías cambiado	cambi-aras/ases	
habría cambiado	cambi-ara/ase	*PAST PARTICIPLE*
habríamos cambiado	cambi-áramos/ásemos	cambiado
habríais cambiado	cambi-arais/aseis	
habrían cambiado	cambi-aran/asen	

PAST PERFECT

hubiera cambiado
hubieras cambiado
hubiera cambiado
hubiéramos cambiado
hubierais cambiado
hubieran cambiado

IMPERATIVE

(tú) cambia
(Vd) cambie
(nosotros) cambiemos
(vosotros) cambiad
(Vds) cambien

PRESENT PERFECT

haya cambiado etc
see page 100

INDICATIVE

PRESENT	FUTURE	IMPERFECT
cargo	cargaré	cargaba
cargas	cargarás	cargabas
carga	cargará	cargaba
cargamos	cargaremos	cargábamos
cargáis	cargaréis	cargabais
cargan	cargarán	cargaban

PRETERITE	PRESENT PERFECT	PAST PERFECT
cargué	he cargado	había cargado
cargaste	has cargado	habías cargado
cargó	ha cargado	había cargado
cargamos	hemos cargado	habíamos cargado
cargasteis	habéis cargado	habíais cargado
cargaron	han cargado	habían cargado

PRETERITE PERFECT	FUTURE PERFECT
hube cargado etc	habré cargado etc
see page 100	see page 100

CONDITIONAL	SUBJUNCTIVE	
PRESENT	**PRESENT**	*PRESENT*
cargaría	cargue	*INFINITIVE*
cargarías	cargues	cargar
cargaría	cargue	
cargaríamos	carguemos	*PAST*
cargaríais	carguéis	*INFINITIVE*
cargarían	carguen	haber cargado

PERFECT	IMPERFECT	
habría cargado	carg-ara/ase	*PRESENT*
habrías cargado	carg-aras/ases	*PARTICIPLE*
habría cargado	carg-ara/ase	cargando
habríamos cargado	carg-áramos/ásemos	
habríais cargado	carg-arais/aseis	*PAST*
habrían cargado	carg-aran/asen	*PARTICIPLE*
		cargado

PAST PERFECT

hubiera cargado
hubieras cargado
hubiera cargado
hubiéramos cargado
hubierais cargado
hubieran cargado

IMPERATIVE

(tú) carga
(Vd) cargue
(nosotros) carguemos
(vosotros) cargad
(Vds) carguen

PRESENT PERFECT

haya cargado etc
see page 100

INDICATIVE

PRESENT	FUTURE	IMPERFECT
cierro	cerraré	cerraba
cierras	cerrarás	cerrabas
cierra	cerrará	cerraba
cerramos	cerraremos	cerrábamos
cerráis	cerraréis	cerrabais
cierran	cerrarán	cerraban

PRETERITE	PRESENT PERFECT	PAST PERFECT
cerré	he cerrado	había cerrado
cerraste	has cerrado	habías cerrado
cerró	ha cerrado	había cerrado
cerramos	hemos cerrado	habíamos cerrado
cerrasteis	habéis cerrado	habíais cerrado
cerraron	han cerrado	habían cerrado

PRETERITE PERFECT	FUTURE PERFECT
hube cerrado etc	habré cerrado etc
see page 100	*see page 100*

CONDITIONAL

PRESENT	SUBJUNCTIVE PRESENT	
cerraría	cierre	*PRESENT INFINITIVE*
cerrarías	cierres	cerrar
cerraría	cierre	
cerraríamos	cerremos	*PAST INFINITIVE*
cerraríais	cerréis	haber cerrado
cerrarían	cierren	

PERFECT	IMPERFECT	
habría cerrado	cerr-ara/ase	*PRESENT PARTICIPLE*
habrías cerrado	cerr-aras/ases	cerrando
habría cerrado	cerr-ara/ase	
habríamos cerrado	cerr-áramos/ásemos	*PAST PARTICIPLE*
habríais cerrado	cerr-arais/aseis	cerrado
habrían cerrado	cerr-aran/asen	

PAST PERFECT

hubiera cerrado
hubieras cerrado
hubiera cerrado
hubiéramos cerrado
hubierais cerrado
hubieran cerrado

IMPERATIVE

(tú) cierra
(Vd) cierre
(nosotros) cerremos
(vosotros) cerrad
(Vds) cierren

PRESENT PERFECT

haya cerrado etc
see page 100

COCER to boil, to cook

INDICATIVE

PRESENT	**FUTURE**	**IMPERFECT**
cuezo	coceré	cocía
cueces	cocerás	cocías
cuece	cocerá	cocía
cocemos	coceremos	cocíamos
cocéis	coceréis	cocíais
cuecen	cocerán	cocían

PRETERITE	**PRESENT PERFECT**	**PAST PERFECT**
cocí	he cocido	había cocido
cociste	has cocido	habías cocido
coció	ha cocido	había cocido
cocimos	hemos cocido	habíamos cocido
cocisteis	habéis cocido	habíais cocido
cocieron	han cocido	habían cocido

PRETERITE PERFECT	**FUTURE PERFECT**
hube cocido etc	habré cocido etc
see page 100	*see page 100*

CONDITIONAL   *SUBJUNCTIVE*

PRESENT	**PRESENT**	*PRESENT INFINITIVE*
cocería	cueza	cocer
cocerías	cuezas	
cocería	cueza	*PAST INFINITIVE*
coceríamos	cozamos	haber cocido
coceríais	cozáis	
cocerían	cuezan	

PERFECT	**IMPERFECT**	*PRESENT PARTICIPLE*
habría cocido	coc-iera/iese	cociendo
habrías cocido	coc-ieras/ieses	
habría cocido	coc-iera/iese	*PAST PARTICIPLE*
habríamos cocido	coc-iéramos/iésemos	cocido
habríais cocido	coc-ierais/ieseis	
habrían cocido	coc-ieran/iesen	

PAST PERFECT

hubiera cocido
hubieras cocido
hubiera cocido
hubiéramos cocido
hubierais cocido
hubieran cocido

IMPERATIVE

(tú) cuece
(Vd) cueza
(nosotros) cozamos
(vosotros) coced
(Vds) cuezan

PRESENT PERFECT

haya cocido etc
see page 100

INDICATIVE

PRESENT	**FUTURE**	**IMPERFECT**
cojo	cogeré	cogía
coges	cogerás	cogías
coge	cogerá	cogía
cogemos	cogeremos	cogíamos
cogéis	cogeréis	cogíais
cogen	cogerán	cogían

PRETERITE	**PRESENT PERFECT**	**PAST PERFECT**
cogí	he cogido	había cogido
cogiste	has cogido	habías cogido
cogió	ha cogido	había cogido
cogimos	hemos cogido	habíamos cogido
cogisteis	habéis cogido	habíais cogido
cogieron	han cogido	habían cogido

PRETERITE PERFECT	**FUTURE PERFECT**
hube cogido etc	habré cogido etc
see page 100	*see page 100*

CONDITIONAL **PRESENT**	*SUBJUNCTIVE* **PRESENT**	*PRESENT* *INFINITIVE*
cogería	coja	coger
cogerías	cojas	
cogería	coja	*PAST* *INFINITIVE*
cogeríamos	cojamos	haber cogido
cogeríais	cojáis	
cogerían	cojan	

PERFECT	**IMPERFECT**	*PRESENT* *PARTICIPLE*
habría cogido	cog-iera/iese	cogiendo
habrías cogido	cog-ieras/ieses	
habría cogido	cog-iera/iese	*PAST* *PARTICIPLE*
habríamos cogido	cog-iéramos/iésemos	cogido
habríais cogido	cog-ierais/ieseis	
habrían cogido	cog-ieran/iesen	

PAST PERFECT

hubiera cogido
hubieras cogido
hubiera cogido
hubiéramos cogido
hubierais cogido
hubieran cogido

IMPERATIVE

(tú) coge
(Vd) coja
(nosotros) cojamos
(vosotros) coged
(Vds) cojan

PRESENT PERFECT

haya cogido etc
see page 100

INDICATIVE

PRESENT	FUTURE	IMPERFECT
cuelgo	colgaré	colgaba
cuelgas	colgarás	colgabas
cuelga	colgará	colgaba
colgamos	colgaremos	colgábamos
colgáis	colgaréis	colgabais
cuelgan	colgarán	colgaban

PRETERITE	PRESENT PERFECT	PAST PERFECT
colgué	he colgado	había colgado
colgaste	has colgado	habías colgado
colgó	ha colgado	había colgado
colgamos	hemos colgado	habíamos colgado
colgasteis	habéis colgado	habíais colgado
colgaron	han colgado	habían colgado

PRETERITE PERFECT	FUTURE PERFECT
hube colgado etc	habré colgado etc
see page 100	see page 100

CONDITIONAL

PRESENT	SUBJUNCTIVE PRESENT	PRESENT INFINITIVE
colgaría	cuelgue	colgar
colgarías	cuelgues	
colgaría	cuelgue	PAST INFINITIVE
colgaríamos	colguemos	haber colgado
colgaríais	colguéis	
colgarían	cuelguen	

PERFECT	IMPERFECT	PRESENT PARTICIPLE
habría colgado	colg-ara/ase	colgando
habrías colgado	colg-aras/ases	
habría colgado	colg-ara/ase	PAST PARTICIPLE
habríamos colgado	colg-áramos/ásemos	colgado
habríais colgado	colg-arais/aseis	
habrían colgado	colg-aran/asen	

PAST PERFECT

hubiera colgado
hubieras colgado
hubiera colgado
hubiéramos colgado
hubierais colgado
hubieran colgado

IMPERATIVE

(tú) cuelga
(Vd) cuelgue
(nosotros) colguemos
(vosotros) colgad
(Vds) cuelguen

PRESENT PERFECT

haya colgado etc
see page 100

INDICATIVE

PRESENT	FUTURE	IMPERFECT
comienzo	comenzaré	comenzaba
comienzas	comenzarás	comenzabas
comienza	comenzará	comenzaba
comenzamos	comenzaremos	comenzábamos
comenzáis	comenzaréis	comenzabais
comienzan	comenzarán	comenzaban

PRETERITE	PRESENT PERFECT	PAST PERFECT
comencé	he comenzado	había comenzado
comenzaste	has comenzado	habías comenzado
comenzó	ha comenzado	había comenzado
comenzamos	hemos comenzado	habíamos comenzado
comenzasteis	habéis comenzado	habíais comenzado
comenzaron	han comenzado	habían comenzado

PRETERITE PERFECT	FUTURE PERFECT
hube comenzado etc	habré comenzado etc
see page 100	see page 100

CONDITIONAL

PRESENT	SUBJUNCTIVE PRESENT	
comenzaría	comience	PRESENT INFINITIVE
comenzarías	comiences	comenzar
comenzaría	comience	
comenzaríamos	comencemos	PAST INFINITIVE
comenzaríais	comencéis	haber comenzado
comenzarían	comiencen	

PERFECT	IMPERFECT	
habría comenzado	comenz-ara/ase	PRESENT PARTICIPLE
habrías comenzado	comenz-aras/ases	comenzando
habría comenzado	comenz-ara/ase	
habríamos comenzado	comenz-áramos/ásemos	PAST PARTICIPLE
habríais comenzado	comenz-arais/aseis	comenzado
habrían comenzado	comenz-aran/asen	

PAST PERFECT

hubiera comenzado
hubieras comenzado
hubiera comenzado
hubiéramos comenzado
hubierais comenzado
hubieran comenzado

IMPERATIVE

(tú) comienza
(Vd) comience
(nosotros) comencemos
(vosotros) comenzad
(Vds) comiencen

PRESENT PERFECT

haya comenzado etc
see page 100

INDICATIVE

PRESENT	FUTURE	IMPERFECT
como	comeré	comía
comes	comerás	comías
come	comerá	comía
comemos	comeremos	comíamos
coméis	comeréis	comíais
comen	comerán	comían

PRETERITE	PRESENT PERFECT	PAST PERFECT
comí	he comido	había comido
comiste	has comido	habías comido
comió	ha comido	había comido
comimos	hemos comido	habíamos comido
comisteis	habéis comido	habíais comido
comieron	han comido	habían comido

PRETERITE PERFECT	FUTURE PERFECT
hube comido etc	habré comido etc
see page 100	see page 100

CONDITIONAL

PRESENT	SUBJUNCTIVE PRESENT	
comería	coma	**PRESENT INFINITIVE**
comerías	comas	comer
comería	coma	
comeríamos	comamos	**PAST INFINITIVE**
comeríais	comáis	haber comido
comerían	coman	

PERFECT	IMPERFECT	
habría comido	com-iera/iese	**PRESENT PARTICIPLE**
habrías comido	com-ieras/ieses	comiendo
habría comido	com-iera/iese	
habríamos comido	com-iéramos/iésemos	**PAST PARTICIPLE**
habríais comido	com-ierais/ieseis	comido
habrían comido	com-ieran/iesen	

PAST PERFECT

hubiera comido
hubieras comido
hubiera comido
hubiéramos comido
hubierais comido
hubieran comido

IMPERATIVE

(tú) come
(Vd) coma
(nosotros) comamos
(vosotros) comed
(Vds) coman

PRESENT PERFECT

haya comido etc
see page 100

COMPRAR to buy

INDICATIVE

PRESENT	**FUTURE**	**IMPERFECT**
compro	compraré	compraba
compras	comprarás	comprabas
compra	comprará	compraba
compramos	compraremos	comprábamos
compráis	compraréis	comprabais
compran	comprarán	compraban

PRETERITE	**PRESENT PERFECT**	**PAST PERFECT**
compré	he comprado	había comprado
compraste	has comprado	habías comprado
compró	ha comprado	había comprado
compramos	hemos comprado	habíamos comprado
comprasteis	habéis comprado	habíais comprado
compraron	han comprado	habían comprado

PRETERITE PERFECT	**FUTURE PERFECT**
hube comprado etc	habré comprado etc
see page 100	*see page 100*

CONDITIONAL   *SUBJUNCTIVE*

PRESENT	**PRESENT**	
compraría	compre	**PRESENT** **INFINITIVE**
comprarías	compres	comprar
compraría	compre	
compraríamos	compremos	**PAST** **INFINITIVE**
compraríais	compréis	haber comprado
comprarían	compren	

PERFECT	**IMPERFECT**	
habría comprado	compr-ara/ase	**PRESENT** **PARTICIPLE**
habrías comprado	compr-aras/ases	comprando
habría comprado	compr-ara/ase	
habríamos comprado	compr-áramos/ásemos	**PAST** **PARTICIPLE**
habríais comprado	compr-arais/aseis	comprado
habrían comprado	compr-aran/asen	

PAST PERFECT

hubiera comprado
hubieras comprado
hubiera comprado
hubiéramos comprado
hubierais comprado
hubieran comprado

IMPERATIVE

(tú) compra
(Vd) compre
(nosotros) compremos
(vosotros) comprad
(Vds) compren

PRESENT PERFECT

haya comprado etc
see page 100

INDICATIVE

PRESENT	FUTURE	IMPERFECT
concibo	concebiré	concebía
concibes	concebirás	concebías
concibe	concebirá	concebía
concebimos	concebiremos	concebíamos
concebís	concebiréis	concebíais
conciben	concebirán	concebían

PRETERITE	PRESENT PERFECT	PAST PERFECT
concebí	he concebido	había concebido
concebiste	has concebido	habías concebido
concibió	ha concebido	había concebido
concebimos	hemos concebido	habíamos concebido
concebisteis	habéis concebido	habíais concebido
concibieron	han concebido	habían concebido

PRETERITE PERFECT	FUTURE PERFECT
hube concebido etc	habré concebido
see page 100	see page 100

CONDITIONAL	SUBJUNCTIVE	
PRESENT	**PRESENT**	*PRESENT*
concebiría	conciba	*INFINITIVE*
concebirías	concibas	concebir
concebiría	conciba	
concebiríamos	concibamos	*PAST*
concebiríais	concibáis	*INFINITIVE*
concebirían	conciban	haber concebido

PERFECT	IMPERFECT	
habría concebido	concib-iera/iese	*PRESENT*
habrías concebido	concib-ieras/ieses	*PARTICIPLE*
habría concebido	concib-iera/iese	concibiendo
habríamos concebido	concib-iéramos/iésemos	
habríais concebido	concib-ierais/ieseis	*PAST*
habrían concebido	concib-ieran/iesen	*PARTICIPLE*
		concebido

PAST PERFECT
hubiera concebido
hubieras concebido
hubiera concebido
hubiéramos concebido
hubierais concebido
hubieran concebido

IMPERATIVE

(tú) concibe
(Vd) conciba
(nosotros) concibamos
(vosotros) concebid
(Vds) conciban

PRESENT PERFECT
haya concebido etc
see page 100

INDICATIVE
PRESENT

concierne

conciernen

FUTURE

concernirá

concernirán

IMPERFECT

concernía

concernían

PRETERITE

concirnió

concirnieron

PRESENT PERFECT

ha concernido

han concernido

PAST PERFECT

había concernido

habían concernido

PRETERITE PERFECT
hubo concernido etc
see page 100

FUTURE PERFECT
habrá concernido etc
see page 100

CONDITIONAL
PRESENT

concerniría

concernirían

SUBJUNCTIVE
PRESENT

conclerna

conciernan

PRESENT INFINITIVE
concernir

PAST INFINITIVE
haber concernido

PERFECT

habría concernido

habrían concernido

IMPERFECT

concern-iera/iese

concern-ieran/iesen

PAST PERFECT

hubiera concernido

PRESENT PARTICIPLE
concerniendo

PAST PARTICIPLE
concernido

IMPERATIVE

hubieran concernido

PRESENT PERFECT
haya concernido etc
see page 100

CONDUCIR to drive

INDICATIVE

PRESENT	FUTURE	IMPERFECT
conduzco	conduciré	conducía
conduces	conducirás	conducías
conduce	conducirá	conducía
conducimos	conduciremos	conducíamos
conducís	conduciréis	conducíais
conducen	conducirán	conducían

PRETERITE	PRESENT PERFECT	PAST PERFECT
conduje	he conducido	había conducido
condujiste	has conducido	habías conducido
condujo	ha conducido	había conducido
condujimos	hemos conducido	habíamos conducido
condujisteis	habéis conducido	habíais conducido
condujeron	han conducido	habían conducido

PRETERITE PERFECT	FUTURE PERFECT
hube conducido etc	habré conducido
see page 100	*see page 100*

CONDITIONAL

SUBJUNCTIVE

PRESENT	PRESENT	PRESENT INFINITIVE
conduciría	conduzca	conducir
conducirías	conduzcas	
conduciría	conduzca	PAST INFINITIVE
conduciríamos	conduzcamos	
conduciríais	conduzcáis	haber conducido
conducirían	conduzcan	

PERFECT	IMPERFECT	PRESENT PARTICIPLE
habría conducido	conduj-era/ese	
habrías conducido	conduj-eras/eses	conduciendo
habría conducido	conduj-era/iese	
habríamos conducido	conduj-éramos/ésemos	PAST PARTICIPLE
habríais conducido	conduj-erais/eseis	
habrían conducido	conduj-eran/esen	conducido

PAST PERFECT
hubiera conducido
hubieras conducido
hubiera conducido
hubiéramos conducido
hubierais conducido
hubieran conducido

IMPERATIVE

(tú) conduce
(Vd) conduzca
(nosotros) conduzcamos
(vosotros) conducid
(Vds) conduzcan

PRESENT PERFECT
haya conducido etc
see page 100

INDICATIVE

PRESENT	**FUTURE**	**IMPERFECT**
conozco	conoceré	conocía
conoces	conocerás	conocías
conoce	conocerá	conocía
conocemos	conoceremos	conocíamos
conocéis	conoceréis	conocíais
conocen	conocerán	conocían

PRETERITE	**PRESENT PERFECT**	**PAST PERFECT**
conocí	he conocido	había conocido
conociste	has conocido	habías conocido
conoció	ha conocido	había conocido
conocimos	hemos conocido	habíamos conocido
conocisteis	habéis conocido	habíais conocido
conocieron	han conocido	habían conocido

PRETERITE PERFECT	**FUTURE PERFECT**
hube conocido etc	habré conocido etc
see page 100	*see page 100*

CONDITIONAL	*SUBJUNCTIVE*	*PRESENT INFINITIVE*
PRESENT	**PRESENT**	
conocería	conozca	conocer
conocerías	conozcas	
conocería	conozca	*PAST INFINITIVE*
conoceríamos	conozcamos	haber conocido
conoceríais	conozcáis	
conocerían	conozcan	

PERFECT	**IMPERFECT**	*PRESENT PARTICIPLE*
habría conocido	conoc-iera/iese	conociendo
habrías conocido	conoc-ieras/ieses	
habría conocido	conoc-iera/iese	*PAST PARTICIPLE*
habríamos conocido	conoc-iéramos/iésemos	conocido
habríais conocido	conoc-ierais/ieseis	
habrían conocido	conoc-ieran/iesen	

PAST PERFECT

hubiera conocido
hubieras conocido
hubiera conocido
hubiéramos conocido
hubierais conocido
hubieran conocido

IMPERATIVE

(tú) conoce
(Vd) conozca
(nosotros) conozcamos
(vosotros) conoced
(Vds) conozcan

PRESENT PERFECT

haya conocido etc
see page 100

CONSOLAR to console

INDICATIVE

PRESENT
consuelo
consuelas
consuela
consolamos
consoláis
consuelan

FUTURE
consolaré
consolarás
consolará
consolaremos
consolaréis
consolarán

IMPERFECT
consolaba
consolabas
consolaba
consolábamos
consolabais
consolaban

PRETERITE
consolé
consolaste
consoló
consolamos
consolasteis
consolaron

PRESENT PERFECT
he consolado
has consolado
ha consolado
hemos consolado
habéis consolado
han consolado

PAST PERFECT
había consolado
habías consolado
había consolado
habíamos consolado
habíais consolado
habían consolado

PRETERITE PERFECT
hube consolado etc
see page 100

FUTURE PERFECT
habré consolado
see page 100

CONDITIONAL

PRESENT
consolaría
consolarías
consolaría
consolaríamos
consolaríais
consolarían

SUBJUNCTIVE

PRESENT
consuele
consueles
consuele
consolemos
consoléis
consuelen

PRESENT INFINITIVE
consolar

PAST INFINITIVE
haber consolado

PERFECT
habría consolado
habrías consolado
habría consolado
habríamos consolado
habríais consolado
habrían consolado

IMPERFECT
consol-ara/ase
consol-aras/ases
consol-ara/ase
consol-áramos/ásemos
consol-arais/aseis
consol-aran/asen

PRESENT PARTICIPLE
consolando

PAST PARTICIPLE
consolado

PAST PERFECT
hubiera consolado
hubieras consolado
hubiera consolado
hubiéramos consolado
hubierais consolado
hubieran consolado

IMPERATIVE
(tú) consuela
(Vd) consuele
(nosotros) consolemos
(vosotros) consolad
(Vds) consuelen

PRESENT PERFECT
haya consolado etc
see page 100

CONSTRUIR to build

INDICATIVE
PRESENT

construyo
construyes
construye
construimos
construís
construyen

FUTURE

construiré
construirás
construirá
construiremos
construiréis
construirán

IMPERFECT

construía
construías
construía
construíamos
construíais
construían

PRETERITE

construí
construiste
construyó
construimos
construisteis
construyeron

PRESENT PERFECT

he construido
has construido
ha construido
hemos construido
habéis construido
han construido

PAST PERFECT

había construido
habías construido
había construido
habíamos construido
habías construido
habían construido

PRETERITE PERFECT
hube construido etc
see page 100

FUTURE PERFECT
habré construido etc
see page 100

CONDITIONAL
PRESENT

construiría
construirías
construiría
construiríamos
construiríais
construirían

SUBJUNCTIVE
PRESENT

construya
construyas
construya
construyamos
construyáis
construyan

PRESENT INFINITIVE
construir

PAST INFINITIVE
haber construido

PERFECT

habría construido
habrías construido
habría construido
habríamos construido
habríais construido
habrían construido

IMPERFECT

constru-yera/yese
constru-yeras/yeses
constru-yera/yese
constru-yéramos/yésemos
constru-yerais/yeseis
constru-yeran/yesen

PRESENT PARTICIPLE
construyendo

PAST PARTICIPLE
construido

PAST PERFECT

hubiera construido
hubieras construido
hubiera construido
hubiéramos construido
hubierais construido
hubieran construido

IMPERATIVE
(tú) construye
(Vd) construya
(nosotros) construyamos
(vosotros) construid
(Vds) construyan

PRESENT PERFECT
haya construido etc
see page 100

CONTAR to tell, to count

INDICATIVE

PRESENT	FUTURE	IMPERFECT
cuento	contaré	contaba
cuentas	contarás	contabas
cuenta	contará	contaba
contamos	contaremos	contábamos
contáis	contaréis	contabais
cuentan	contarán	contaban

PRETERITE	PRESENT PERFECT	PAST PERFECT
conté	he contado	había contado
contaste	has contado	habías contado
contó	ha contado	había contado
contamos	hemos contado	habíamos contado
contasteis	habéis contado	habíais contado
contaron	han contado	habían contado

PRETERITE PERFECT
hube contado etc
see page 100

FUTURE PERFECT
habré contado etc
see page 100

CONDITIONAL

PRESENT		
contaría		
contarías		
contaría		
contaríamos		
contaríais		
contarían		

PERFECT
habría contado
habrías contado
habría contado
habríamos contado
habríais contado
habrían contado

SUBJUNCTIVE

PRESENT		
cuente		
cuentes		
cuente		
contemos		
contéis		
cuenten		

IMPERFECT
cont-ara/ase
cont-aras/ases
cont-ara/ase
cont-áramos/ásemos
cont-arais/aseis
cont-aran/asen

PAST PERFECT
hubiera contado
hubieras contado
hubiera contado
hubiéramos contado
hubierais contado
hubieran contado

IMPERATIVE

(tú) cuenta
(Vd) cuente
(nosotros) contemos
(vosotros) contad
(Vds) cuenten

PRESENT PERFECT
haya contado etc
see page 100

PRESENT INFINITIVE
contar

PAST INFINITIVE
haber contado

PRESENT PARTICIPLE
contando

PAST PARTICIPLE
contado

INDICATIVE

PRESENT	**FUTURE**	**IMPERFECT**
contesto	contestaré	contestaba
contestas	contestarás	contestabas
contesta	contestará	contestaba
contestamos	contestaremos	contestábamos
contestáis	contestaréis	contestabais
contestan	contestarán	contestaban

PRETERITE	**PRESENT PERFECT**	**PAST PERFECT**
contesté	he contestado	había contestado
contestaste	has contestado	habías contestado
contestó	ha contestado	había contestado
contestamos	hemos contestado	habíamos contestado
contestasteis	habéis contestado	habíais contestado
contestaron	han contestado	habían contestado

PRETERITE PERFECT	**FUTURE PERFECT**
hube contestado etc	habré contestado etc
see page 100	*see page 100*

CONDITIONAL	*SUBJUNCTIVE*	*PRESENT*
PRESENT	**PRESENT**	*INFINITIVE*
contestaría	conteste	contestar
contestarías	contestes	
contestaría	conteste	*PAST*
contestaríamos	contestemos	*INFINITIVE*
contestaríais	contestéis	haber contestado
contestarían	contesten	

PERFECT	**IMPERFECT**	*PRESENT*
habría contestado	contest-ara/ase	*PARTICIPLE*
habrías contestado	contest-aras/ases	contestando
habría contestado	contest-ara/ase	
habríamos contestado	contest-áramos/ásemos	*PAST*
habríais contestado	contest-arais/aseis	*PARTICIPLE*
habrían contestado	contest-aran/asen	contestado

PAST PERFECT

hubiera contestado
hubieras contestado
hubiera contestado
hubiéramos contestado
hubierais contestado
hubieran contestado

IMPERATIVE

(tú) contesta
(Vd) conteste
(nosotros) contestemos
(vosotros) contestad
(Vds) contesten

PRESENT PERFECT

haya contestado etc
see page 100

INDICATIVE

PRESENT	FUTURE	IMPERFECT
continúo	continuaré	continuaba
continúas	continuarás	continuabas
continúa	continuará	continuaba
continuamos	continuaremos	continuábamos
continuáis	continuaréis	continuabais
continúan	continuarán	continuaban

PRETERITE	PRESENT PERFECT	PAST PERFECT
continué	he continuado	había continuado
continuaste	has continuado	habías continuado
continuó	ha continuado	había continuado
continuamos	hemos continuado	habíamos continuado
continuasteis	habéis continuado	habíais continuado
continuaron	han continuado	habían continuado

PRETERITE PERFECT
hube continuado etc
see page 100

FUTURE PERFECT
habré continuado etc
see page 100

CONDITIONAL

PRESENT	SUBJUNCTIVE PRESENT	
continuaría	continúe	PRESENT INFINITIVE
continuarías	continúes	continuar
continuaría	continúe	
continuaríamos	continuemos	PAST INFINITIVE
continuaríais	continuéis	haber continuado
continuarían	continúen	

PERFECT	IMPERFECT	
habría continuado	continu-ara/ase	PRESENT PARTICIPLE
habrías continuado	continu-aras/ases	continuando
habría continuado	continu-ara/ase	
habríamos continuado	continu-áramos/ásemos	PAST PARTICIPLE
habríais continuado	continu-arais/aseis	continuado
habrían continuado	continu-aran/asen	

PAST PERFECT
hubiera continuado
hubieras continuado
hubiera continuado
hubiéramos continuado
hubierais continuado
hubieran continuado

IMPERATIVE

(tú) continúa
(Vd) continúe
(nosotros) continuemos
(vosotros) continuad
(Vds) continúen

PRESENT PERFECT
haya continuado etc
see page 100

CONVERTIR to turn into, to become

INDICATIVE

PRESENT	FUTURE	IMPERFECT
convierto	convertiré	convertía
conviertes	convertirás	convertías
convierte	convertirá	convertía
convertimos	convertiremos	convertíamos
convertís	convertiréis	convertíais
convierten	convertirán	convertían

PRETERITE	PRESENT PERFECT	PAST PERFECT
convertí	he convertido	había convertido
convertiste	has convertido	habías convertido
convirtió	ha convertido	había convertido
convertimos	hemos convertido	habíamos convertido
convertisteis	habéis convertido	habíais convertido
convirtieron	han convertido	habían convertido

PRETERITE PERFECT	FUTURE PERFECT
hube convertido etc	habré convertido etc
see page 100	*see page 100*

CONDITIONAL	SUBJUNCTIVE	
PRESENT	**PRESENT**	**PRESENT INFINITIVE**
convertiría	convierta	convertir
convertirías	conviertas	
convertiría	convierta	**PAST INFINITIVE**
convertiríamos	convirtamos	haber convertido
convertiríais	convirtáis	
convertirían	conviertan	

PERFECT	IMPERFECT	PRESENT PARTICIPLE
habría convertido	convirt-iera/iese	convirtiendo
habrías convertido	convirt-ieras/ieses	
habría convertido	convirt-iera/iese	**PAST PARTICIPLE**
habríamos convertido	convirt-iéramos/iésemos	convertido
habríais convertido	convirt-ierais/ieseis	
habrían convertido	convirt-ieran/iesen	

PAST PERFECT
hubiera convertido
hubieras convertido
hubiera convertido
hubiéramos convertido
hubierais convertido
hubieran convertido

IMPERATIVE

(tú) convierte
(Vd) convierta
(nosotros) convirtamos
(vosotros) convertid
(Vds) conviertan

PRESENT PERFECT
haya convertido etc
see page 100

INDICATIVE

PRESENT	FUTURE	IMPERFECT
corro	correré	corría
corres	correrás	corrías
corre	correrá	corría
corremos	correremos	corríamos
corréis	correréis	corríais
corren	correrán	corrían

PRETERITE	PRESENT PERFECT	PAST PERFECT
corrí	he corrido	había corrido
corriste	has corrido	habías corrido
corrió	ha corrido	había corrido
corrimos	hemos corrido	habíamos corrido
corristeis	habéis corrido	habíais corrido
corrieron	han corrido	habían corrido

PRETERITE PERFECT	FUTURE PERFECT
hube corrido etc	habré corrido etc
see page 100	*see page 100*

CONDITIONAL

PRESENT	
correría	
correrías	
correría	
correríamos	
correríais	
correrían	

PERFECT
habría corrido
habrías corrido
habría corrido
habríamos corrido
habríais corrido
habrían corrido

SUBJUNCTIVE

PRESENT
corra
corras
corra
corramos
corráis
corran

IMPERFECT
corr-iera/iese
corr-ieras/ieses
corr-iera/iese
corr-iéramos/iésemos
corr-ierais/ieseis
corr-ieran/iesen

PAST PERFECT
hubiera corrido
hubieras corrido
hubiera corrido
hubiéramos corrido
hubierais corrido
hubieran corrido

PRESENT PERFECT
haya corrido etc
see page 100

IMPERATIVE

(tú) corre
(Vd) corra
(nosotros) corramos
(vosotros) corred
(Vds) corran

PRESENT INFINITIVE
correr

PAST INFINITIVE
haber corrido

PRESENT PARTICIPLE
corriendo

PAST PARTICIPLE
corrido

COSTAR to cost

INDICATIVE

PRESENT	FUTURE	IMPERFECT
cuesto	costaré	costaba
cuestas	costarás	costabas
cuesta	costará	costaba
costamos	costaremos	costábamos
costáis	costaréis	costabais
cuestan	costarán	costaban

PRETERITE	PRESENT PERFECT	PAST PERFECT
costé	he costado	había costado
costaste	has costado	habías costado
costó	ha costado	había costado
costamos	hemos costado	habíamos costado
costasteis	habéis costado	habíais costado
costaron	han costado	habían costado

PRETERITE PERFECT
hube costado etc
see page 100

FUTURE PERFECT
habré costado etc
see page 100

CONDITIONAL

PRESENT	SUBJUNCTIVE PRESENT	PRESENT INFINITIVE
costaría	cueste	costar
costarías	cuestes	
costaría	cueste	**PAST INFINITIVE**
costaríamos	costemos	haber costado
costaríais	costéis	
costarían	cuesten	

PERFECT	IMPERFECT	PRESENT PARTICIPLE
habría costado	cost-ara/ase	costando
habrías costado	cost-aras/ases	
habría costado	cost-ara/ase	**PAST PARTICIPLE**
habríamos costado	cost-áramos/ásemos	costado
habríais costado	cost-arais/aseis	
habrían costado	cost-aran/asen	

PAST PERFECT
hubiera costado
hubieras costado
hubiera costado
hubiéramos costado
hubierais costado
hubieran costado

IMPERATIVE
(tú) cuesta
(Vd) cueste
(nosotros) costemos
(vosotros) costad
(Vds) cuesten

PRESENT PERFECT
haya costado etc
see page 100

INDICATIVE

PRESENT	FUTURE	IMPERFECT
crezco	creceré	crecía
creces	crecerás	crecías
crece	crecerá	crecía
crecemos	creceremos	crecíamos
crecéis	creceréis	crecíais
crecen	crecerán	crecían

PRETERITE	PRESENT PERFECT	PAST PERFECT
crecí	he crecido	había crecido
creciste	has crecido	habías crecido
creció	ha crecido	había crecido
crecimos	hemos crecido	habíamos crecido
crecisteis	habéis crecido	habíais crecido
crecieron	han crecido	habían crecido

PRETERITE PERFECT	FUTURE PERFECT
hube crecido etc	habré crecido etc
see page 100	*see page 100*

CONDITIONAL

PRESENT	SUBJUNCTIVE PRESENT	PRESENT INFINITIVE
crecería	crezca	crecer
crecerías	crezcas	
crecería	crezca	**PAST INFINITIVE**
creceríamos	crezcamos	haber crecido
creceríais	crezcáis	
crecerían	crezcan	

PERFECT	IMPERFECT	PRESENT PARTICIPLE
habría crecido	crec-iera/iese	creciendo
habrías crecido	crec-ieras/ieses	
habría crecido	crec-iera/iese	**PAST PARTICIPLE**
habríamos crecido	crec-iéramos/ésemos	crecido
habríais crecido	crec-ierais/ieseis	
habrían crecido	crec-ieran/iesen	

PAST PERFECT
hubiera crecido
hubieras crecido
hubiera crecido
hubiéramos crecido
hubierais crecido
hubieran crecido

IMPERATIVE

(tú) crece
(Vd) crezca
(nosotros) crezcamos
(vosotros) creced
(Vds) crezcan

PRESENT PERFECT
haya crecido etc
see page 100

INDICATIVE

PRESENT	**FUTURE**	**IMPERFECT**
creo	creeré	creía
crees	creerás	creías
cree	creerá	creía
creemos	creeremos	creíamos
creéis	creeréis	creíais
creen	creerán	creían

PRETERITE	**PRESENT PERFECT**	**PAST PERFECT**
creí	he creído	había creído
creíste	has creído	habías creído
creyó	ha creído	había creído
creímos	hemos creído	habíamos creído
creísteis	habéis creído	habíais creído
creyeron	han creído	habían creído

PRETERITE PERFECT	**FUTURE PERFECT**
hube creído etc	habré creído etc
see page 100	*see page 100*

CONDITIONAL

PRESENT	*SUBJUNCTIVE* **PRESENT**	*PRESENT INFINITIVE*
creería	crea	creer
creerías	creas	
creería	crea	*PAST INFINITIVE*
creeríamos	creamos	haber creído
creeríais	creáis	
creerían	crean	

PERFECT	**IMPERFECT**	*PRESENT PARTICIPLE*
habría creído	cre-yera/yese	creyendo
habrías creído	cre-yeras/yeses	
habría creído	cre-yera/yese	*PAST PARTICIPLE*
habríamos creído	cre-yéramos/yésemos	creído
habríais creído	cre-yerais/yeseis	
habrían creído	cre-yeran/yesen	

PAST PERFECT

hubiera creído
hubieras creído
hubiera creído
hubiéramos creído
hubierais creído
hubieran creído

IMPERATIVE

(tú) cree
(Vd) crea
(nosotros) creamos
(vosotros) creed
(Vds) crean

PRESENT PERFECT

haya creído etc
see page 100

CRUZAR to cross

INDICATIVE
PRESENT
cruzo
cruzas
cruza
cruzamos
cruzáis
cruzan

FUTURE
cruzaré
cruzarás
cruzará
cruzaremos
cruzaréis
cruzarán

IMPERFECT
cruzaba
cruzabas
cruzaba
cruzábamos
cruzabais
cruzaban

PRETERITE
crucé
cruzaste
cruzó
cruzamos
cruzasteis
cruzaron

PRESENT PERFECT
he cruzado
has cruzado
ha cruzado
hemos cruzado
habéis cruzado
han cruzado

PAST PERFECT
había cruzado
habías cruzado
había cruzado
habíamos cruzado
habíais cruzado
habían cruzado

PRETERITE PERFECT
hube cruzado etc
see page 100

FUTURE PERFECT
habré cruzado etc
see page 100

CONDITIONAL
PRESENT
cruzaría
cruzarías
cruzaría
cruzaríamos
cruzaríais
cruzarían

SUBJUNCTIVE
PRESENT
cruce
cruces
cruce
crucemos
crucéis
crucen

PRESENT INFINITIVE
cruzar

PAST INFINITIVE
haber cruzado

PERFECT
habría cruzado
habrías cruzado
habría cruzado
habríamos cruzado
habríais cruzado
habrían cruzado

IMPERFECT
cruz-ara/ase
cruz-aras/ases
cruz-ara/ase
cruz-áramos/ásemos
cruz-arais/aseis
cruz-aran/asen

PRESENT PARTICIPLE
cruzando

PAST PARTICIPLE
cruzado

PAST PERFECT
hubiera cruzado
hubieras cruzado
hubiera cruzado
hubiéramos cruzado
hubierais cruzado
hubieran cruzado

IMPERATIVE
(tú) cruza
(Vd) cruce
(nosotros) crucemos
(vosotros) cruzad
(Vds) crucen

PRESENT PERFECT
haya cruzado etc
see page 100

INDICATIVE
PRESENT

cubro
cubres
cubre
cubrimos
cubrís
cubren

FUTURE

cubriré
cubrirás
cubrirá
cubriremos
cubriréis
cubrirán

IMPERFECT

cubría
cubrías
cubría
cubríamos
cubríais
cubrían

PRETERITE

cubrí
cubriste
cubrió
cubrimos
cubristeis
cubrieron

PRESENT PERFECT

he cubierto
has cubierto
ha cubierto
hemos cubierto
habéis cubierto
han cubierto

PAST PERFECT

había cubierto
habías cubierto
había cubierto
habíamos cubierto
habíais cubierto
habían cubierto

PRETERITE PERFECT

hube cubierto etc
see page 100

FUTURE PERFECT

habré cubierto etc
see page 100

CONDITIONAL
PRESENT

cubriría
cubrirías
cubriría
cubriríamos
cubriríais
cubrirían

SUBJUNCTIVE
PRESENT

cubra
cubras
cubra
cubramos
cubráis
cubran

*PRESENT
INFINITIVE*

cubrir

*PAST
INFINITIVE*

haber cubierto

PERFECT

habría cubierto
habrías cubierto
habría cubierto
habríamos cubierto
habríais cubierto
habrían cubierto

IMPERFECT

cubr-iera/iese
cubr-ieras/ieses
cubr-iera/iese
cubr-iéramos/iésemos
cubr-ierais/ieseis
cubr-ieran/iesen

*PRESENT
PARTICIPLE*

cubriendo

*PAST
PARTICIPLE*

cubierto

PAST PERFECT

hubiera cubierto
hubieras cubierto
hubiera cubierto
hubiéramos cubierto
hubierais cubierto
hubieran cubierto

IMPERATIVE

(tú) cubre
(Vd) cubra
(nosotros) cubramos
(vosotros) cubrid
(Vds) cubran

PRESENT PERFECT

haya cubierto etc
see page 100

DAR to give

INDICATIVE

PRESENT	FUTURE	IMPERFECT
doy	daré	daba
das	darás	dabas
da	dará	daba
damos	daremos	dábamos
dais	daréis	dabais
dan	darán	daban

PRETERITE	PRESENT PERFECT	PAST PERFECT
di	he dado	había dado
diste	has dado	habías dado
dio	ha dado	había dado
dimos	hemos dado	habíamos dado
disteis	habéis dado	habíais dado
dieron	han dado	habían dado

PRETERITE PERFECT
hube dado etc
see page 100

FUTURE PERFECT
habré dado etc
see page 100

CONDITIONAL

PRESENT
daría
darías
daría
daríamos
daríais
darían

PERFECT
habría dado
habrías dado
habría dado
habríamos dado
habríais dado
habrían dado

SUBJUNCTIVE

PRESENT
dé
des
dé
demos
deis
den

IMPERFECT
di-era/ese
di-eras/eses
di-era/ese
di-éramos/ésemos
di-erais/eseis
di-eran/esen

PAST PERFECT
hubiera dado
hubieras dado
hubiera dado
hubiéramos dado
hubierais dado
hubieran dado

PRESENT PERFECT
haya dado etc
see page 100

IMPERATIVE

(tú) da
(Vd) dé
(nosotros) demos
(vosotros) dad
(Vds) den

PRESENT INFINITIVE
dar

PAST INFINITIVE
haber dado

PRESENT PARTICIPLE
dando

PAST PARTICIPLE
dado

NOTES

I MEANING

to give

2 CONSTRUCTIONS

dar (algo) a	to give (something) to someone
dar a	to look out onto (the sea, a square)
dar de comer/beber	to give food/drink
darse contra	to hit against (a wall, a door)
darse por	to consider oneself (satisfied, defeated)

3 USAGE

transitive:

le di las malas noticias	I gave her the bad news
el reloj dio las once	the clock struck eleven

reflexive:

se ha dado cuenta de todo	he's realized everything, he's noticed everything
me doy por vencida	I give up

4 PHRASES & IDIOMS

dar un paseo	to go for a walk
dar las gracias	to thank
darse cuenta de	to realize, notice
darse la vuelta	to turn round
¡y dale!	there she goes again!
dale que dale/dale que te pego	again and again
(me) da lo mismo	I don't care
(me) da igual	I don't care
¡qué más da!	who cares?
se le dan bien las ciencias	she's good at science
nos dimos la mano	we shook hands
hay para dar y tomar	there's tons of it
a mí no me la das (con queso)	you can't fool me
no me des la lata	don't bother me
¿qué dan por la tele?	what's on TV?
(me) da pena ...	I feel sorry for ...
(me) da rabia ...	I feel angry about ...

DEBER to owe, must

INDICATIVE

PRESENT	FUTURE	IMPERFECT
debo	deberé	debía
debes	deberás	debías
debe	deberá	debía
debemos	deberemos	debíamos
debéis	deberéis	debíais
deben	deberán	debían

PRETERITE	PRESENT PERFECT	PAST PERFECT
debí	he debido	había debido
debiste	has debido	habías debido
debió	ha debido	había debido
debimos	hemos debido	habíamos debido
debisteis	habéis debido	habíais debido
debieron	han debido	habían debido

PRETERITE PERFECT	FUTURE PERFECT
hube debido etc	habré debido etc
see page 100	see page 100

CONDITIONAL

PRESENT	
debería	
deberías	
debería	
deberíamos	
deberíais	
deberían	

PERFECT

habría debido
habrías debido
habría debido
habríamos debido
habríais debido
habrían debido

SUBJUNCTIVE

PRESENT

deba
debas
deba
debamos
debáis
deban

IMPERFECT

deb-iera/iese
deb-ieras/ieses
deb-iera/iese
deb-iéramos/iésemos
deb-ierais/ieseis
deb-ieran/iesen

PAST PERFECT

hubiera debido
hubieras debido
hubiera debido
hubiéramos debido
hubierais debido
hubieran debido

PRESENT PERFECT

haya debido etc
see page 100

PRESENT INFINITIVE

deber

PAST INFINITIVE

haber debido

PRESENT PARTICIPLE

debiendo

PAST PARTICIPLE

debido

IMPERATIVE

(tú) debe
(Vd) deba
(nosotros) debamos
(vosotros) debed
(Vds) deban

NOTES

1   <u>MEANING</u>

transitive: to owe

intransitive: must

reflexive: to be due to

2   <u>CONSTRUCTIONS</u>

deber (algo) a	to owe something to *(a person, something)*
deberse a	to be due to *(the weather, a reason)*
deber de	*(supposition)* must

3   <u>USAGE</u>

transitive:

(le) debo diez dólares a Juan	I owe Juan ten dollars

intransitive:

+ infinitive (obligation):

debe hacerlo	she must do it
debería decírselo	I should tell him, I ought to tell him
deberías haber venido	you should have come, you ought to have come

*+ **de** + infinitive (supposition):*

tú debes de ser su hermano	you must be her brother
no debe de ganar mucho	he can't earn much
debió de verlo	she must have seen it

reflexive usage:

el error se debió a un fallo en el ordenador	the error was due to a computer failure

4   <u>PHRASES & IDIOMS</u>

¿qué/cuánto le debo?	how much do I owe you?
¿a qué se debe esto?	what is the reason for this?

DECIR to say

INDICATIVE
PRESENT

digo
dices
dice
decimos
decís
dicen

FUTURE

diré
dirás
dirá
diremos
diréis
dirán

IMPERFECT

decía
decías
decía
decíamos
decíais
decían

PRETERITE

dije
dijiste
dijo
dijimos
dijisteis
dijeron

PRESENT PERFECT

he dicho
has dicho
ha dicho
hemos dicho
habéis dicho
han dicho

PAST PERFECT

había dicho
habías dicho
había dicho
habíamos dicho
habíais dicho
habían dicho

PRETERITE PERFECT
hube dicho etc
see page 100

FUTURE PERFECT
habré dicho etc
see page 100

CONDITIONAL
PRESENT

diría
dirías
diría
diríamos
diríais
dirían

SUBJUNCTIVE
PRESENT

diga
digas
diga
digamos
digáis
digan

*PRESENT
INFINITIVE*
decir

*PAST
INFINITIVE*
haber dicho

PERFECT

habría dicho
habrías dicho
habría dicho
habríamos dicho
habríais dicho
habrían dicho

IMPERFECT

dij-era/ese
dij-eras/eses
dij-era/ese
dij-éramos/ésemos
dij-erais/eseis
dij-eran/esen

*PRESENT
PARTICIPLE*
diciendo

*PAST
PARTICIPLE*
dicho

PAST PERFECT

hubiera dicho
hubieras dicho
hubiera dicho
hubiéramos dicho
hubierais dicho
hubieran dicho

IMPERATIVE
(tú) di
(Vd) diga
(nosotros) digamos
(vosotros) decid
(Vds) digan

PRESENT PERFECT
haya dicho etc
see page 100

NOTES

1   <u>MEANING</u>

to say, to tell

2   <u>CONSTRUCTIONS</u>

decir algo a	to say something to, to tell (somebody) something
decir algo (acerca) de/sobre	to say something about (somebody, something)
decir algo entre sí/para sí	to say something to (oneself)

3   <u>USAGE</u>

transitive:

que + indicative:
le dije a Carmen que vendría	I told Carmen I would come

que + subjunctive:
le dije a Carmen que viniera	I told Carmen to come

reflexive:
¿cómo se dice "feo" en inglés?	how do you say "feo" in English?

4   <u>PHRASES & IDIOMS</u>

¡eso digo yo!	that's what I say!
¡te lo digo yo!	I'm telling you!
¿qué dices?	what did you say?
¡quién lo diría!	would you believe it!
decir mentiras/la verdad	to tell lies/the truth
es decir ...	that is to say ...
¿qué quiere decir "money"?	what does the word "money" mean?
¿diga/dígame?	hello? (on the phone)
digan lo que digan ...	whatever they may say ...
¡no digas tonterías!	stop talking nonsense!
¡no me digas!	really?, you don't say!
¡y que lo digas!	you can say that again!
¡haberlo dicho (antes)!	you could have said so!
mejor dicho ...	rather, in fact ...
¡dicho y hecho!	no sooner said than done
eso se dice en seguida	easier said than done

DEDICAR to dedicate

INDICATIVE

PRESENT	FUTURE	IMPERFECT
dedico	dedicaré	dedicaba
dedicas	dedicarás	dedicabas
dedica	dedicará	dedicaba
dedicamos	dedicaremos	dedicábamos
dedicáis	dedicaréis	dedicabais
dedican	dedicarán	dedicaban

PRETERITE	PRESENT PERFECT	PAST PERFECT
dediqué	he dedicado	había dedicado
dedicaste	has dedicado	habías dedicado
dedicó	ha dedicado	había dedicado
dedicamos	hemos dedicado	habíamos dedicado
dedicasteis	habéis dedicado	habíais dedicado
dedicaron	han dedicado	habían dedicado

PRETERITE PERFECT	FUTURE PERFECT
hube dedicado etc	habré dedicado etc
see page 100	see page 100

CONDITIONAL

PRESENT	SUBJUNCTIVE PRESENT	PRESENT INFINITIVE
dedicaría	dedique	dedicar
dedicarías	dediques	
dedicaría	dedique	PAST INFINITIVE
dedicaríamos	dediquemos	haber dedicado
dedicaríais	dediquéis	
dedicarían	dediquen	

PERFECT	IMPERFECT	PRESENT PARTICIPLE
habría dedicado	dedic-ara/ase	dedicando
habrías dedicado	dedic-aras/ases	
habría dedicado	dedic-ara/ase	PAST PARTICIPLE
habríamos dedicado	dedic-áramos/ásemos	dedicado
habríais dedicado	dedic-arais/aseis	
habrían dedicado	dedic-aran/asen	

PAST PERFECT
hubiera dedicado
hubieras dedicado
hubiera dedicado
hubiéramos dedicado
hubierais dedicado
hubieran dedicado

IMPERATIVE

(tú) dedica
(Vd) dedique
(nosotros) dediquemos
(vosotros) dedicad
(Vds) dediquen

PRESENT PERFECT
haya dedicado etc
see page 100

DEFENDER to defend 62

INDICATIVE

PRESENT
defiendo
defiendes
defiende
defendemos
defendéis
defienden

FUTURE
defenderé
defenderás
defenderá
defenderemos
defenderéis
defenderán

IMPERFECT
defendía
defendías
defendía
defendíamos
defendíais
defendían

PRETERITE
defendí
defendiste
defendió
defendimos
defendisteis
defendieron

PRESENT PERFECT
he defendido
has defendido
ha defendido
hemos defendido
habéis defendido
han defendido

PAST PERFECT
había defendido
habías defendido
había defendido
habíamos defendido
habíais defendido
habían defendido

PRETERITE PERFECT
hube defendido etc
see page 100

FUTURE PERFECT
habré defendido etc
see page 100

CONDITIONAL

PRESENT
defendería
defenderías
defendería
defenderíamos
defenderíais
defenderían

SUBJUNCTIVE

PRESENT
defienda
defiendas
defienda
defendamos
defendáis
defiendan

PRESENT INFINITIVE
defender

PAST INFINITIVE
haber defendido

PERFECT
habría defendido
habrías defendido
habría defendido
habríamos defendido
habríais defendido
habrían defendido

IMPERFECT
defend-iera/iese
defend-ieras/ieses
defend-iera/iese
defend-iéramos/iésemos
defend-ierais/ieseis
defend-ieran/iesen

PRESENT PARTICIPLE
defendiendo

PAST PARTICIPLE
defendido

PAST PERFECT
hubiera defendido
hubieras defendido
hubiera defendido
hubiéramos defendido
hubierais defendido
hubieran defendido

IMPERATIVE
(tú) defiende
(Vd) defienda
(nosotros) defendamos
(vosotros) defended
(Vds) defiendan

PRESENT PERFECT
haya defendido etc
see page 100

INDICATIVE

PRESENT	FUTURE	IMPERFECT
dejo	dejaré	dejaba
dejas	dejarás	dejabas
deja	dejará	dejaba
dejamos	dejaremos	dejábamos
dejáis	dejaréis	dejabais
dejan	dejarán	dejaban

PRETERITE	PRESENT PERFECT	PAST PERFECT
dejé	he dejado	había dejado
dejaste	has dejado	habías dejado
dejó	ha dejado	había dejado
dejamos	hemos dejado	habíamos dejado
dejasteis	habéis dejado	habíais dejado
dejaron	han dejado	habían dejado

PRETERITE PERFECT	FUTURE PERFECT
hube dejado etc	habré dejado etc
see page 100	*see page 100*

CONDITIONAL

PRESENT	SUBJUNCTIVE PRESENT	PRESENT INFINITIVE
dejaría	deje	dejar
dejarías	dejes	
dejaría	deje	PAST INFINITIVE
dejaríamos	dejemos	haber dejado
dejaríais	dejéis	
dejarían	dejen	

PERFECT	IMPERFECT	PRESENT PARTICIPLE
habría dejado	dej-ara/ase	dejando
habrías dejado	dej-aras/ases	
habría dejado	dej-ara/ase	PAST PARTICIPLE
habríamos dejado	dej-áramos/ásemos	dejado
habríais dejado	dej-arais/aseis	
habrían dejado	dej-aran/asen	

PAST PERFECT

hubiera dejado
hubieras dejado
hubiera dejado
hubiéramos dejado
hubierais dejado
hubieran dejado

IMPERATIVE

(tú) deja
(Vd) deje
(nosotros) dejemos
(vosotros) dejad
(Vds) dejen

PRESENT PERFECT

haya dejado etc
see page 100

NOTES

1 MEANING

transitive: to leave, to let, to allow

intransitive: to stop

2 CONSTRUCTIONS

dejar a	to leave (somebody)
dejar de	to stop (doing something)

3 USAGE

transitive:

dejé el coche delante de casa	I left the car in front of the house
¿me dejas el lápiz?	may I borrow your pencil?
le he dejado mi moto	I've lent him my motorbike

+ infinitive or **que** *+ subjunctive*

papá, déjame vivir mi vida	dad, let me live my own life
dejó que Ana viera a su novio	he let Ana see her boyfriend

intransitive:

¡deja de molestar!	stop bothering me!
quiero dejar de fumar	I want to stop smoking

reflexive:

se dejó las gafas	he left his glasses behind

4 PHRASES & IDIOMS

¡déjalo ya!	stop it!
¡déjame a mí!	let me do it!
¡déjala en paz!	leave her alone!
te dejo	I'm leaving you
deja mucho que desear	it leaves much to be desired
se ha dejado barba y bigote	he's grown a beard and a moustache
¡déjate de tonterías!	stop this nonsense!

DELINQUIR to commit an offence

INDICATIVE

PRESENT	FUTURE	IMPERFECT
delinco	delinquiré	delinquía
delinques	delinquirás	delinquías
delinque	delinquirá	delinquía
delinquimos	delinquiremos	delinquíamos
delinquís	delinquiréis	delinquíais
delinquen	delinquirán	delinquían

PRETERITE	PRESENT PERFECT	PAST PERFECT
delinquí	he delinquido	había delinquido
delinquiste	has delinquido	habías delinquido
delinquió	ha delinquido	había delinquido
delinquimos	hemos delinquido	habíamos delinquido
delinquisteis	habéis delinquido	habíais delinquido
delinquieron	han delinquido	habían delinquido

PRETERITE PERFECT	FUTURE PERFECT
hube delinquido etc	habré delinquido etc
see page 100	see page 100

CONDITIONAL

PRESENT	SUBJUNCTIVE	
delinquiría	**PRESENT**	**PRESENT INFINITIVE**
delinquirías	delinca	delinquir
delinquiría	delincas	
delinquiríamos	delinca	**PAST INFINITIVE**
delinquiríais	delincamos	haber delinquido
delinquirían	delincáis	
	delincan	

PERFECT	IMPERFECT	
habría delinquido	delinqu-iera/iese	**PRESENT PARTICIPLE**
habrías delinquido	delinqu-ieras/ieses	delinquiendo
habría delinquido	delinqu-iera/iese	
habríamos delinquido	delinqu-iéramos/iésemos	**PAST PARTICIPLE**
habríais delinquido	delinqu-ierais/ieseis	delinquido
habrían delinquido	delinqu-ieran/iesen	

PAST PERFECT
hubiera delinquido
hubieras delinquido
hubiera delinquido
hubiéramos delinquido
hubierais delinquido
hubieran delinquido

IMPERATIVE
(tú) delinque
(Vd) delinca
(nosotros) delincamos
(vosotros) delinquid
(Vds) delincan

PRESENT PERFECT
haya delinquido etc
see page 100

INDICATIVE

PRESENT	FUTURE	IMPERFECT
derrito	derretiré	derretía
derrites	derretirás	derretías
derrite	derretirá	derretía
derretimos	derretiremos	derretíamos
derretís	derretiréis	derretíais
derriten	derretirán	derretían

PRETERITE	PRESENT PERFECT	PAST PERFECT
derretí	he derretido	había derretido
derretiste	has derretido	habías derretido
derritió	ha derretido	había derretido
derretimos	hemos derretido	habíamos derretido
derretisteis	habéis derretido	habíais derretido
derritieron	han derretido	habían derretido

PRETERITE PERFECT	FUTURE PERFECT
hube derretido etc	habré derretido etc
see page 100	*see page 100*

CONDITIONAL

PRESENT		
derretiría		
derretirías		
derretiría		
derretiríamos		
derretiríais		
derretirían		

PERFECT
habría derretido
habrías derretido
habría derretido
habríamos derretido
habríais derretido
habrían derretido

SUBJUNCTIVE

PRESENT
derrita
derritas
derrita
derritamos
derritáis
derritan

IMPERFECT
derrit-iera/iese
derrit-ieras/ieses
derrit-iera/iese
derrit-iéramos/ésemos
derrit-ierais/ieseis
derrit-ieran/iesen

PAST PERFECT
hubiera derretido
hubieras derretido
hubiera derretido
hubiéramos derretido
hubierais derretido
hubieran derretido

PRESENT PERFECT
haya derretido etc
see page 100

IMPERATIVE

(tú) derrite
(Vd) derrita
(nosotros) derritamos
(vosotros) derretid
(Vds) derritan

PRESENT INFINITIVE
derretir

PAST INFINITIVE
haber derretido

PRESENT PARTICIPLE
derritiendo

PAST PARTICIPLE
derretido

INDICATIVE
PRESENT
desciendo
desciendes
desciende
descendemos
descendéis
descienden

FUTURE
descenderé
descenderás
descenderá
descenderemos
descenderéis
descenderán

IMPERFECT
descendía
descendías
descendía
descendíamos
descendíais
descendían

PRETERITE
descendí
descendiste
descendió
descendimos
descendisteis
descendieron

PRESENT PERFECT
he descendido
has descendido
ha descendido
hemos descendido
habéis descendido
han descendido

PAST PERFECT
había descendido
habías descendido
había descendido
habíamos descendido
habíais descendido
habían descendido

PRETERITE PERFECT
hube descendido etc
see *page 100*

FUTURE PERFECT
habré descendido etc
see *page 100*

CONDITIONAL
PRESENT
descendería
descenderías
descendería
descenderíamos
descenderíais
descenderían

SUBJUNCTIVE
PRESENT
descienda
desciendas
descienda
descendamos
descendáis
desciendan

PRESENT INFINITIVE
descender

PAST INFINITIVE
haber descendido

PERFECT
habría descendido
habrías descendido
habría descendido
habríamos descendido
habríais descendido
habrían descendido

IMPERFECT
descend-iera/iese
descend-ieras/ieses
descend-iera/iese
descend-iéramos/iésemos
descend-ierais/ieseis
descend-ieran/iesen

PRESENT PARTICIPLE
descendiendo

PAST PARTICIPLE
descendido

PAST PERFECT
hubiera descendido
hubieras descendido
hubiera descendido
hubiéramos descendido
hubierais descendido
hubieran descendido

IMPERATIVE
(tú) desciende
(Vd) descienda
(nosotros) descendamos
(vosotros) descended
(Vds) desciendan

PRESENT PERFECT
haya descendido etc
see *page 100*

INDICATIVE

PRESENT

me despierto
te despiertas
se despierta
nos despertamos
os despertáis
se despiertan

FUTURE

me despertaré
te despertarás
se despertará
nos despertaremos
os despertaréis
se despertarán

IMPERFECT

me despertaba
te despertabas
se despertaba
nos despertábamos
os despertabais
se despertaban

PRETERITE

me desperté
te despertaste
se despertó
nos despertamos
os despertasteis
se despertaron

PRESENT PERFECT

me he despertado
te has despertado
se ha despertado
nos hemos despertado
os habéis despertado
se han despertado

PAST PERFECT

me había despertado
te habías despertado
se había despertado
nos habíamos despertado
os habíais despertado
se habían despertado

PRETERITE PERFECT

me hube despertado etc
see page 100

FUTURE PERFECT

me habré despertado
see page 100

CONDITIONAL

PRESENT

me despertaría
te despertarías
se despertaría
nos despertaríamos
os despertaríais
se despertarían

SUBJUNCTIVE

PRESENT

me despierte
te despiertes
se despierte
nos despertemos
os despertéis
se despierten

PRESENT INFINITIVE

despertarse

PAST INFINITIVE

haberse despertado

PERFECT

me habría despertado
te habrías despertado
se habría despertado
nos habríamos despertado
os habríais despertado
se habrían despertado

IMPERFECT

me despert-ara/ase
te despert-aras/ases
se despert-ara/ase
nos despert-áramos/ásemos
os despert-arais/aseis
se despert-aran/asen

PRESENT PARTICIPLE

despertándose

PAST PARTICIPLE

despertado

PAST PERFECT

me hubiera despertado
te hubieras despertado
se hubiera despertado
nos hubiéramos despertado
os hubierais despertado
se hubieran despertado

IMPERATIVE

(tú) despiértate
(Vd) despiértese
(nosotros) despertémonos
(vosotros) despertaos
(Vds) despiértense

PRESENT PERFECT

me haya despertado etc
see page 100

INDICATIVE

PRESENT	FUTURE	IMPERFECT
destruyo	destruiré	destruía
destruyes	destruirás	destruías
destruye	destruirá	destruía
destruimos	destruiremos	destruíamos
destruís	destruiréis	destruíais
destruyen	destruirán	destruían

PRETERITE	PRESENT PERFECT	PAST PERFECT
destruí	he destruido	había destruido
destruiste	has destruido	habías destruido
destruyó	ha destruido	había destruido
destruimos	hemos destruido	habíamos destruido
destruisteis	habéis destruido	habíais destruido
destruyeron	han destruido	habían destruido

PRETERITE PERFECT
hube destruido etc
see page 100

FUTURE PERFECT
habré destruido etc
see page 100

CONDITIONAL

PRESENT		
destruiría		
destruirías		
destruiría		
destruiríamos		
destruiríais		
destruirían		

PERFECT
habría destruido
habrías destruido
habría destruido
habríamos destruido
habríais destruido
habrían destruido

SUBJUNCTIVE

PRESENT
destruya
destruyas
destruya
destruyamos
destruyáis
destruyan

IMPERFECT
destru-yera/yese
destru-yeras/yeses
destru-yera/yese
destru-yéramos/yésemos
destru-yerais/yeseis
destru-yeran/yesen

PAST PERFECT
hubiera destruido
hubieras destruido
hubiera destruido
hubiéramos destruido
hubierais destruido
hubieran destruido

PRESENT PERFECT
haya destruido etc
see page 100

IMPERATIVE

(tú) destruye
(Vd) destruya
(nosotros) destruyamos
(vosotros) destruid
(Vds) destruyan

PRESENT INFINITIVE
destruir

PAST INFINITIVE
haber destruido

PRESENT PARTICIPLE
destruyendo

PAST PARTICIPLE
destruido

Note: **argüir** conjugates as **destruir** except that it retains **ü** (diaeresis) before an **i**

DIGERIR to digest

INDICATIVE

PRESENT
digiero
digieres
digiere
digerimos
digerís
digieren

FUTURE
digeriré
digerirás
digerirá
digeriremos
digeriréis
digerirán

IMPERFECT
digería
digerías
digería
digeríamos
digeríais
digerían

PRETERITE
digeri
digeriste
digirió
digerimos
digeristeis
digirieron

PRESENT PERFECT
he digerido
has digerido
ha digerido
hemos digerido
habéis digerido
han digerido

PAST PERFECT
había digerido
habías digerido
había digerido
habíamos digerido
habíais digerido
habían digerido

PRETERITE PERFECT
hube digerido etc
see page 100

FUTURE PERFECT
habré digerido etc
see page 100

CONDITIONAL

PRESENT
digeriría
digerirías
digeriría
digeriríamos
digeriríais
digerirían

SUBJUNCTIVE

PRESENT
digiera
digieras
digiera
digiramos
digiráis
digieran

PRESENT INFINITIVE
digerir

PAST INFINITIVE
haber digerido

PERFECT
habría digerido
habrías digerido
habría digerido
habríamos digerido
habríais digerido
habrían digerido

IMPERFECT
digir-iera/iese
digir-ieras/ieses
digir-iera/iese
digir-iéramos/ésemos
digir-ierais/ieseis
digir-ieran/iesen

PRESENT PARTICIPLE
digiriendo

PAST PARTICIPLE
digerido

PAST PERFECT
hubiera digerido
hubieras digerido
hubiera digerido
hubiéramos digerido
hubierais digerido
hubieran digerido

IMPERATIVE
(tú) digiere
(Vd) digiera
(nosotros) digiramos
(vosotros) digerid
(Vds) digieran

PRESENT PERFECT
haya digerido etc
see page 100

INDICATIVE

PRESENT	FUTURE	IMPERFECT
dirijo	dirigiré	dirigía
diriges	dirigirás	dirigías
dirige	dirigirá	dirigía
dirigimos	dirigiremos	dirigíamos
dirigís	dirigiréis	dirigíais
dirigen	dirigirán	dirigían

PRETERITE	PRESENT PERFECT	PAST PERFECT
dirigí	he dirigido	había dirigido
dirigiste	has dirigido	habías dirigido
dirigió	ha dirigido	había dirigido
dirigimos	hemos dirigido	habíamos dirigido
dirigisteis	habéis dirigido	habíais dirigido
dirigieron	han dirigido	habían dirigido

PRETERITE PERFECT
hube dirigido etc
see page 100

FUTURE PERFECT
habré dirigido etc
see page 100

CONDITIONAL

PRESENT		
dirigiría		
dirigirías		
dirigiría		
dirigiríamos		
dirigiríais		
dirigirían		

PERFECT
habría dirigido
habrías dirigido
habría dirigido
habríamos dirigido
habríais dirigido
habrían dirigido

SUBJUNCTIVE

PRESENT
dirija
dirijas
dirija
dirijamos
dirijáis
dirijan

IMPERFECT
dirig-iera/iese
dirig-ieras/ieses
dirig-iera/iese
dirig-iéramos/iésemos
dirig-ierais/ieseis
dirig-ieran/iesen

PAST PERFECT
hubiera dirigido
hubieras dirigido
hubiera dirigido
hubiéramos dirigido
hubierais dirigido
hubieran dirigido

PRESENT PERFECT
haya dirigido etc
see page 100

PRESENT INFINITIVE
dirigir

PAST INFINITIVE
haber dirigido

PRESENT PARTICIPLE
dirigiendo

PAST PARTICIPLE
dirigido

IMPERATIVE

(tú) dirige
(Vd) dirija
(nosotros) dirijamos
(vosotros) dirigid
(Vds) dirijan

DISTINGUIR to distinguish

INDICATIVE

PRESENT
distingo
distingues
distingue
distinguimos
distinguís
distinguen

FUTURE
distinguiré
distinguirás
distinguirá
distinguiremos
distinguiréis
distinguirán

IMPERFECT
distinguía
distinguías
distinguía
distinguíamos
distinguíais
distinguian

PRETERITE
distinguí
distinguiste
distinguió
distinguimos
distinguisteis
distinguieron

PRESENT PERFECT
he distinguido
has distinguido
ha distinguido
hemos distinguido
habéis distinguido
han distinguido

PAST PERFECT
había distinguido
habías istinguido
había distinguido
habíamos distinguido
habíais distinguido
habían distinguido

PRETERITE PERFECT
hube distinguido etc
see page 100

FUTURE PERFECT
habré distinguido
see page 100

CONDITIONAL

PRESENT
distinguiría
distinguirías
distinguiría
distinguiríamos
distinguiríais
distinguirían

SUBJUNCTIVE

PRESENT
distinga
distingas
distinga
distingamos
distingáis
distingan

PRESENT INFINITIVE
distinguir

PAST INFINITIVE
haber distinguido

PERFECT
habría distinguido
habrías distinguido
habría distinguido
habríamos distinguido
habríais distinguido
habrían distinguido

IMPERFECT
distingu-iera/iese
distingu-ieras/ieses
distingu-iera/iese
distingu-iéramos/iésemos
distingu-ierais/ieseis
distingu-ieran/iesen

PRESENT PARTICIPLE
distinguiendo

PAST PARTICIPLE
distinguido

PAST PERFECT
hubiera distinguido
hubieras distinguido
hubiera distinguido
hubiéramos distinguido
hubierais distinguido
hubieran distinguido

IMPERATIVE
(tú) distingue
(Vd) distinga
(nosotros) distingamos
(vosotros) distinguid
(Vds) distingan

PRESENT PERFECT
haya distinguido etc
see page 100

INDICATIVE

PRESENT

me divierto
te diviertes
se divierte
nos divertimos
os divertís
se divierten

FUTURE

me divertiré
te divertirás
se divertirá
nos divertirer os
os divertiréis
se divertirán

IMPERFECT

me divertía
te divertías
se divertía
nos divertíamos
os divertíais
se divertían

PRETERITE

me divertí
te divertiste
se divirtió
nos divertimos
os divertisteis
se divirtieron

PRESENT PERFECT

me he divertido
te has divertido
se ha divertido
nos hemos divertido
os habéis divertido
se han divertido

PAST PERFECT

me había divertido
te habías divertido
se había divertido
nos habíamos divertido
os habíais divertido
se habían divertido

PRETERITE PERFECT

me hube divertido etc
see page 100

FUTURE PERFECT

me habré divertido
see page 100

CONDITIONAL

PRESENT

me divertiría
te divertirías
se divertiría
nos divertiríamos
os divertiríais
se divertirían

SUBJUNCTIVE

PRESENT

me divierta
te diviertas
se divierta
nos divirtamos
os divirtáis
se diviertan

PRESENT INFINITIVE

divertirse

PAST INFINITIVE

haberse divertido

PERFECT

me habría divertido
te habrías divertido
se habría divertido
nos habríamos divertido
os habríais divertido
se habrían divertido

IMPERFECT

me divirt-iera/iese
te divirt-ieras/ieses
se divirt-iera/iese
nos divirt-iéramos/iésemos
os divirt-ierais/ieseis
se divirt-ieran/iesen

PRESENT PARTICIPLE

divirtiéndose

PAST PARTICIPLE

divertido

PAST PERFECT

me hubiera divertido
te hubieras divertido
se hubiera divertido
nos hubiéramos divertido
os hubierais divertido
se hubieran divertido

IMPERATIVE

(tú) diviértete
(Vd) diviértase
(nosotros) divirtámonos
(vosotros) divertíos
(Vds) diviértanse

PRESENT PERFECT

me haya divertido etc
see page 100

DOLER to hurt, to grieve

INDICATIVE

PRESENT	FUTURE	IMPERFECT
duelo	doleré	dolía
dueles	dolerás	dolías
duele	dolerá	dolía
dolemos	doleremos	dolíamos
doléis	doleréis	dolíais
duelen	dolerán	dolían

PRETERITE	PRESENT PERFECT	PAST PERFECT
dolí	he dolido	había dolido
doliste	has dolido	habías dolido
dolió	ha dolido	había dolido
dolimos	hemos dolido	habíamos dolido
dolisteis	habéis dolido	habíais dolido
dolieron	han dolido	habían dolido

PRETERITE PERFECT	FUTURE PERFECT
hube dolido etc	habré dolido etc
see page 100	see page 100

CONDITIONAL

PRESENT
dolería
dolerías
dolería
doleríamos
doleríais
dolerían

PERFECT
habría dolido
habrías dolido
habría dolido
habríamos dolido
habríais dolido
habrían dolido

SUBJUNCTIVE

PRESENT
duela
duelas
duela
dolamos
doláis
duelan

IMPERFECT
dol-iera/iese
dol-ieras/ieses
dol-iera/iese
dol-iéramos/iésemos
dol-ierais/ieseis
dol-ieran/iesen

PAST PERFECT
hubiera dolido
hubieras dolido
hubiera dolido
hubiéramos dolido
hubierais dolido
hubieran dolido

PRESENT PERFECT
haya dolido etc
see page 100

IMPERATIVE

(tú) duele
(Vd) duela
(nosotros) dolamos
(vosotros) doled
(Vds) duelan

PRESENT INFINITIVE
doler

PAST INFINITIVE
haber dolido

PRESENT PARTICIPLE
doliendo

PAST PARTICIPLE
dolido

Note: meaning "to hurt" only used in the third person: **me duele el brazo** my arm hurts

INDICATIVE

PRESENT	FUTURE	IMPERFECT
duermo	dormiré	dormía
duermes	dormirás	dormías
duerme	dormirá	dormía
dormimos	dormiremos	dormíamos
dormís	dormiréis	dormíais
duermen	dormirán	dormían

PRETERITE	PRESENT PERFECT	PAST PERFECT
dormí	he dormido	había dormido
dormiste	has dormido	habías dormido
durmió	ha dormido	había dormido
dormimos	hemos dormido	habíamos dormido
dormisteis	habéis dormido	habíais dormido
durmieron	han dormido	habían dormido

PRETERITE PERFECT
hube dormido etc
see page 100

FUTURE PERFECT
habré dormido etc
see page 100

CONDITIONAL

PRESENT	SUBJUNCTIVE PRESENT	PRESENT INFINITIVE
dormiría	duerma	dormir
dormirías	duermas	
dormiría	duerma	**PAST INFINITIVE**
dormiríamos	durmamos	haber dormido
dormiríais	durmáis	
dormirían	duerman	

PERFECT	IMPERFECT	PRESENT PARTICIPLE
habría dormido	durm-iera/iese	durmiendo
habrías dormido	durm-ieras/ieses	
habría dormido	durm-iera/iese	**PAST PARTICIPLE**
habríamos dormido	durm-iéramos/iésemos	dormido
habríais dormido	durm-ierais/ieseis	
habrían dormido	durm-ieran/iesen	

PAST PERFECT
hubiera dormido
hubieras dormido
hubiera dormido
hubiéramos dormido
hubierais dormido
hubieran dormido

IMPERATIVE

(tú) duerme
(Vd) duerma
(nosotros) durmamos
(vosotros) dormid
(Vds) duerman

PRESENT PERFECT
haya dormido etc
see page 100

INDICATIVE

PRESENT	**FUTURE**	**IMPERFECT**
efectúo	efectuaré	efectuaba
efectúas	efectuarás	efectuabas
efectúa	efectuará	efectuaba
efectuamos	efectuaremos	efectuábamos
efectuáis	efectuaréis	efectuabais
efectúan	efectuarán	efectuaban

PRETERITE	**PRESENT PERFECT**	**PAST PERFECT**
efectué	he efectuado	había efectuado
efectuaste	has efectuado	habías efectuado
efectuó	ha efectuado	había efectuado
efectuamos	hemos efectuado	habíamos efectuado
efectuasteis	habéis efectuado	habíais efectuado
efectuaron	han efectuado	habían efectuado

PRETERITE PERFECT	**FUTURE PERFECT**
hube efectuado etc	habré efectuado etc
see page 100	*see page 100*

CONDITIONAL

PRESENT	**SUBJUNCTIVE** PRESENT	**PRESENT INFINITIVE**
efectuaría	efectúe	efectuar
efectuarías	efectúes	
efectuaría	efectúe	**PAST INFINITIVE**
efectuaríamos	efectuemos	haber efectuado
efectuaríais	efectuéis	
efectuarían	efectúen	

PERFECT	**IMPERFECT**	**PRESENT PARTICIPLE**
habría efectuado	efectu-ara/ase	efectuando
habrías efectuado	efectu-aras/ases	
habría efectuado	efectu-ara/ase	**PAST PARTICIPLE**
habríamos efectuado	efectu-áramos/ásemos	efectuado
habríais efectuado	efectu-arais/aseis	
habrían efectuado	efectu-aran/asen	

PAST PERFECT
hubiera efectuado
hubieras efectuado
hubiera efectuado
hubiéramos efectuado
hubierais efectuado
hubieran efectuado

IMPERATIVE

(tú) efectúa
(Vd) efectúe
(nosotros) efectuemos
(vosotros) efectuad
(Vds) efectúen

PRESENT PERFECT
haya efectuado etc
see page 100

INDICATIVE

PRESENT	FUTURE	IMPERFECT
elijo	elegiré	elegía
eliges	elegirás	elegías
elige	elegirá	elegía
elegimos	elegiremos	elegíamos
elegís	elegiréis	elegíais
eligen	elegirán	elegían

PRETERITE	PRESENT PERFECT	PAST PERFECT
elegí	he elegido	había elegido
elegiste	has elegido	habías elegido
eligió	ha elegido	había elegido
elegimos	hemos elegido	habíamos elegido
elegisteis	habéis elegido	habíais elegido
eligieron	han elegido	habían elegido

PRETERITE PERFECT	FUTURE PERFECT
hube elegido etc	habré elegido etc
see page 100	*see page 100*

CONDITIONAL

PRESENT	SUBJUNCTIVE	

CONDITIONAL PRESENT	SUBJUNCTIVE PRESENT	
elegiría	elija	**PRESENT INFINITIVE**
elegirías	elijas	elegir
elegiría	elija	
elegiríamos	elijamos	**PAST INFINITIVE**
elegiríais	elijáis	haber elegido
elegirían	elijan	

PERFECT	IMPERFECT	
habría elegido	elig-iera/iese	**PRESENT PARTICIPLE**
habrías elegido	elig-ieras/ieses	eligiendo
habría elegido	elig-iera/iese	
habríamos elegido	elig-iéramos/iésemos	**PAST PARTICIPLE**
habríais elegido	elig-ierais/ieseis	elegido
habrían elegido	elig-ieran/iesen	

PAST PERFECT

hubiera elegido
hubieras elegido
hubiera elegido
hubiéramos elegido
hubierais elegido
hubieran elegido

IMPERATIVE

(tú) elige
(Vd) elija
(nosotros) elijamos
(vosotros) elegid
(Vds) elijan

PRESENT PERFECT

haya elegido etc
see page 100

INDICATIVE

PRESENT	FUTURE	IMPERFECT
empiezo	empezaré	empezaba
empiezas	empezarás	empezabas
empieza	empezará	empezaba
empezamos	empezaremos	empezábamos
empezáis	empezaréis	empezabais
empiezan	empezarán	empezaban

PRETERITE	PRESENT PERFECT	PAST PERFECT
empecé	he empezado	había empezado
empezaste	has empezado	habías empezado
empezó	ha empezado	había empezado
empezamos	hemos empezado	habíamos empezado
empezasteis	habéis empezado	habíais empezado
empezaron	han empezado	habían empezado

PRETERITE PERFECT	FUTURE PERFECT
hube empezado etc	habré empezado etc
see page 100	see page 100

CONDITIONAL

PRESENT	
empezaría	
empezarías	
empezaría	
empezaríamos	
empezaríais	
empezarían	

PRESENT INFINITIVE
empezar

PAST INFINITIVE
haber empezado

PERFECT
habría empezado
habrías empezado
habría empezado
habríamos empezado
habríais empezado
habrían empezado

SUBJUNCTIVE

PRESENT
empiece
empieces
empiece
empecemos
empecéis
empiecen

IMPERFECT
empez-ara/ase
empez-aras/ases
empez-ara/ase
empez-áramos/ásemos
empez-arais/aseis
empez-aran/asen

PAST PERFECT
hubiera empezado
hubieras empezado
hubiera empezado
hubiéramos empezado
hubierais empezado
hubieran empezado

PRESENT PERFECT
haya empezado etc
see page 100

PRESENT PARTICIPLE
empezando

PAST PARTICIPLE
empezado

IMPERATIVE
(tú) empieza
(Vd) empiece
(nosotros) empecemos
(vosotros) empezad
(Vds) empiecen

INDICATIVE

PRESENT

empujo
empujas
empuja
empujamos
empujáis
empujan

FUTURE

empujaré
empujarás
empujará
empujaremos
empujaréis
empujarán

IMPERFECT

empujaba
empujabas
empujaba
empujábamos
empujabais
empujaban

PRETERITE

empujé
empujaste
empujó
empujamos
empujasteis
empujaron

PRESENT PERFECT

he empujado
has empujado
ha empujado
hemos empujado
habéis empujado
han empujado

PAST PERFECT

había empujado
habías empujado
había empujado
habíamos empujado
habíais empujado
habían empujado

PRETERITE PERFECT

hube empujado etc
see page 100

FUTURE PERFECT

habré empujado etc
see page 100

CONDITIONAL

PRESENT

empujaría
empujarías
empujaría
empujaríamos
empujaríais
empujarían

SUBJUNCTIVE

PRESENT

empuje
empujes
empuje
empujemos
empujéis
empujen

PRESENT
INFINITIVE

empujar

PAST
INFINITIVE

haber empujado

PERFECT

habría empujado
habrías empujado
habría empujado
habríamos empujado
habríais empujado
habrían empujado

IMPERFECT

empuj-ara/ase
empuj-aras/ases
empuj-ara/ase
empuj-áramos/ásemos
empuj-arais/aseis
empuj-aran/asen

PRESENT
PARTICIPLE

empujando

PAST
PARTICIPLE

empujado

PAST PERFECT

hubiera empujado
hubieras empujado
hubiera empujado
hubiéramos empujado
hubierais empujado
hubieran empujado

IMPERATIVE

(tú) empuja
(Vd) empuje
(nosotros) empujemos
(vosotros) empujad
(Vds) empujen

PRESENT PERFECT

haya empujado etc
see page 100

INDICATIVE

PRESENT
enciendo
enciendes
enciende
encendemos
encendéis
encienden

FUTURE
encenderé
encenderás
encenderá
encenderemos
encenderéis
encenderán

IMPERFECT
encendía
encendías
encendía
encendíamos
encendíais
encendían

PRETERITE
encendí
encendiste
encendió
encendimos
encendisteis
encendieron

PRESENT PERFECT
he encendido
has encendido
ha encendido
hemos encendido
habéis encendido
han encendido

PAST PERFECT
había encendido
habías encendido
había encendido
habíamos encendido
habíais encendido
habían encendido

PRETERITE PERFECT
hube encendido etc
see page 100

FUTURE PERFECT
habré encendido etc
see page 100

CONDITIONAL

PRESENT
encendería
encenderías
encendería
encenderíamos
encenderíais
encenderían

SUBJUNCTIVE

PRESENT
encienda
enciendas
encienda
encendamos
encendáis
enciendan

PRESENT INFINITIVE
encender

PAST INFINITIVE
haber encendido

PERFECT
habría encendido
habrías encendido
habría encendido
habríamos encendido
habríais encendido
habrían encendido

IMPERFECT
encend-iera/iese
encend-ieras/ieses
encend-iera/iese
encend-iéramos/iésemos
encend-ierais/ieseis
encend-ieran/iesen

PRESENT PARTICIPLE
encendiendo

PAST PARTICIPLE
encendido

PAST PERFECT
hubiera encendido
hubieras encendido
hubiera encendido
hubiéramos encendido
hubierais encendido
hubieran encendido

IMPERATIVE
(tú) enciende
(Vd) encienda
(nosotros) encendamos
(vosotros) encended
(Vds) enciendan

PRESENT PERFECT
haya encendido etc
see page 100

ENCONTRAR to find

INDICATIVE
PRESENT
encuentro
encuentras
encuentra
encontramos
encontráis
encuentran

FUTURE
encontraré
encontrarás
encontrará
encontraremos
encontraréis
encontrarán

IMPERFECT
encontraba
encontrabas
encontraba
encontrábamos
encontrabais
encontraban

PRETERITE
encontré
encontraste
encontró
encontramos
encontrasteis
encontraron

PRESENT PERFECT
he encontrado
has encontrado
ha encontrado
hemos encontrado
habéis encontrado
han encontrado

PAST PERFECT
había encontrado
habías encontrado
había encontrado
habíamos encontrado
habíais encontrado
habían encontrado

PRETERITE PERFECT
hube encontrado etc
see page 100

FUTURE PERFECT
habré encontrado etc
see page 100

CONDITIONAL
PRESENT
encontraría
encontrarías
encontraría
encontraríamos
encontraríais
encontrarían

SUBJUNCTIVE
PRESENT
encuentre
encuentres
encuentre
encontremos
encontréis
encuentren

PRESENT INFINITIVE
encontrar

PAST INFINITIVE
haber encontrado

PERFECT
habría encontrado
habrías encontrado
habría encontrado
habríamos encontrado
habríais encontrado
habrían encontrado

IMPERFECT
encontr-ara/ase
encontr-aras/ases
encontr-ara/ase
encontr-áramos/ásemos
encontr-arais/aseis
encontr-aran/asen

PRESENT PARTICIPLE
encontrando

PAST PARTICIPLE
encontrado

PAST PERFECT
hubiera encontrado
hubieras encontrado
hubiera encontrado
hubiéramos encontrado
hubierais encontrado
hubieran encontrado

IMPERATIVE
(tú) encuentra
(Vd) encuentre
(nosotros) encontremos
(vosotros) encontrad
(Vds) encuentren

PRESENT PERFECT
haya encontrado etc
see page 100

ENTENDER to understand

INDICATIVE

PRESENT	FUTURE	IMPERFECT
entiendo	entenderé	entendía
entiendes	entenderás	entendías
entiende	entenderá	entendía
entendemos	entenderemos	entendíamos
entendéis	entenderéis	entendíais
entienden	entenderán	entendían

PRETERITE	PRESENT PERFECT	PAST PERFECT
entendí	he entendido	había entendido
entendiste	has entendido	habías entendido
entendió	ha entendido	había entendido
entendimos	hemos entendido	habíamos entendido
entendisteis	habéis entendido	habíais entendido
entendieron	han entendido	habían entendido

PRETERITE PERFECT	FUTURE PERFECT
hube entendido etc	habré entendido etc
see page 100	see page 100

CONDITIONAL

PRESENT	SUBJUNCTIVE PRESENT	
entendería	entienda	**PRESENT INFINITIVE**
entenderías	entiendas	entender
entendería	entienda	
entenderíamos	entendamos	**PAST INFINITIVE**
entenderíais	entendáis	haber entendido
entenderían	entiendan	

PERFECT	IMPERFECT	
habría entendido	entend-iera/iese	**PRESENT PARTICIPLE**
habrías entendido	entend-ieras/ieses	entendiendo
habría entendido	entend-iera/iese	
habríamos entendido	entend-iéramos/iésemos	**PAST PARTICIPLE**
habríais entendido	entend-ierais/ieseis	entendido
habrían entendido	entend-ieran/iesen	

PAST PERFECT
hubiera entendido
hubieras entendido
hubiera entendido
hubiéramos entendido
hubierais entendido
hubieran entendido

IMPERATIVE

(tú) entiende
(Vd) entienda
(nosotros) entendamos
(vosotros) entended
(Vds) entiendan

PRESENT PERFECT
haya entendido etc
see page 100

INDICATIVE

PRESENT	FUTURE	IMPERFECT
entierro	enterraré	enterraba
entierras	enterrarás	enterrabas
entierra	enterrará	enterraba
enterramos	enterraremos	enterrábamos
enterráis	enterraréis	enterrabais
entierran	enterrarán	enterraban

PRETERITE	PRESENT PERFECT	PAST PERFECT
enterré	he enterrado	había enterrado
enterraste	has enterrado	habías enterrado
enterró	ha enterrado	había enterrado
enterramos	hemos enterrado	habíamos enterrado
enterrasteis	habéis enterrado	habíais enterrado
enterraron	han enterrado	habían enterrado

PRETERITE PERFECT	FUTURE PERFECT
hube enterrado etc	habré enterrado etc
see page 100	see page 100

CONDITIONAL	SUBJUNCTIVE	
PRESENT	PRESENT	PRESENT INFINITIVE
enterraría	entierre	enterrar
enterrarías	entierres	
enterraría	entierre	PAST INFINITIVE
enterraríamos	enterremos	haber enterrado
enterraríais	enterréis	
enterrarían	entierren	

PERFECT	IMPERFECT	
habría enterrado	enterr-ara/ase	PRESENT PARTICIPLE
habrías enterrado	enterr-aras/ases	enterrando
habría enterrado	enterr-ara/ase	
habríamos enterrado	enterr-áramos/ásemos	PAST PARTICIPLE
habríais enterrado	enterr-arais/aseis	enterrado
habrían enterrado	enterr-aran/asen	

PAST PERFECT
hubiera enterrado
hubieras enterrado
hubiera enterrado
hubiéramos enterrado
hubierais enterrado
hubieran enterrado

IMPERATIVE
(tú) entierra
(Vd) entierre
(nosotros) enterremos
(vosotros) enterrad
(Vds) entierren

PRESENT PERFECT
haya enterrado etc
see page 100

INDICATIVE

PRESENT	**FUTURE**	**IMPERFECT**
envío	enviaré	enviaba
envías	enviarás	enviabas
envía	enviará	enviaba
enviamos	enviaremos	enviábamos
enviáis	enviaréis	enviabais
envían	enviarán	enviaban

PRETERITE	**PRESENT PERFECT**	**PAST PERFECT**
envié	he enviado	había enviado
enviaste	has enviado	habías enviado
envió	ha enviado	había enviado
enviamos	hemos enviado	habíamos enviado
enviasteis	habéis enviado	habíais enviado
enviaron	han enviado	habían enviado

PRETERITE PERFECT	**FUTURE PERFECT**
hube enviado etc	habré enviado etc
see page 100	*see page 100*

CONDITIONAL

PRESENT	**SUBJUNCTIVE** **PRESENT**	**PRESENT INFINITIVE**
enviaría	envíe	enviar
enviarías	envíes	
enviaría	envíe	**PAST INFINITIVE**
enviaríamos	enviemos	haber enviado
enviaríais	enviéis	
enviarían	envíen	

PERFECT	**IMPERFECT**	**PRESENT PARTICIPLE**
habría enviado	envi-ara/ase	enviando
habrías enviado	envi-aras/ases	
habría enviado	envi-ara/ase	**PAST PARTICIPLE**
habríamos enviado	envi-áramos/ásemos	enviado
habríais enviado	envi-arais/aseis	
habrían enviado	envi-aran/asen	

PAST PERFECT

hubiera enviado
hubieras enviado
hubiera enviado
hubiéramos enviado
hubierais enviado
hubieran enviado

IMPERATIVE

(tú) envía
(Vd) envíe
(nosotros) enviemos
(vosotros) enviad
(Vds) envíen

PRESENT PERFECT

haya enviado etc
see page 100

INDICATIVE

PRESENT	**FUTURE**	**IMPERFECT**
me equivoco	me equivocaré	me equivocaba
te equivocas	te equivocarás	te equivocabas
se equivoca	se equivocará	se equivocaba
nos equivocamos	nos equivocaremos	nos equivocábamos
os equivocáis	os equivocaréis	os equivocabais
se equivocan	se equivocarán	se equivocaban

PRETERITE	**PRESENT PERFECT**	**PAST PERFECT**
me equivoqué	me he equivocado	me había equivocado
te equivocaste	te has equivocado	te habías equivocado
se equivocó	se ha equivocado	se había equivocado
nos equivocamos	nos hemos equivocado	nos habíamos equivocado
os equivocasteis	os habéis equivocado	os habíais equivocado
se equivocaron	se han equivocado	se habían equivocado

PRETERITE PERFECT	**FUTURE PERFECT**
me hube equivocado etc	me habré equivocado
see page 100	see page 100

CONDITIONAL

PRESENT	**SUBJUNCTIVE**	
me equivocaría	**PRESENT**	*PRESENT* *INFINITIVE* equivocarse
te equivocarías	me equivoque	
se equivocaría	te equivoques	*PAST* *INFINITIVE* haberse equivocado
nos equivocaríamos	se equivoque	
os equivocaríais	nos equivoquemos	
se equivocarían	os equivoquéis	
	se equivoquen	

PERFECT	**IMPERFECT**	
me habría equivocado	me equivoc-ara/ase	*PRESENT* *PARTICIPLE* equivocándose
te habrías equivocado	te equivoc-aras/ases	
se habría equivocado	se equivoc-ara/ase	*PAST* *PARTICIPLE* equivocado
nos habríamos equivocado	nos equivoc-áramos/ásemos	
os habríais equivocado	os equivoc-arais/aseis	
se habrían equivocado	se equivoc-aran/asen	

PAST PERFECT

me hubiera equivocado
te hubieras equivocado
se hubiera equivocado
nos hubiéramos equivocado
os hubierais equivocado
se hubieran equivocado

IMPERATIVE

(tú) equivócate
(Vd) equivóquese
(nosotros) equivoquémonos
(vosotros) equivocaos
(Vds) equivóquense

PRESENT PERFECT

me haya equivocado etc
see page 100

INDICATIVE

PRESENT	**FUTURE**	**IMPERFECT**
yergo	erguiré	erguía
yergues	erguirás	erguías
yergue	erguirá	erguía
erguimos	erguiremos	erguíamos
erguís	erguiréis	erguíais
yerguen	erguirán	erguían

PRETERITE	**PRESENT PERFECT**	**PAST PERFECT**
erguí	he erguido	había erguido
erguiste	has erguido	habías erguido
irguió	ha erguido	había erguido
erguimos	hemos erguido	habíamos erguido
erguisteis	habéis erguido	habíais erguido
irguieron	han erguido	habían erguido

PRETERITE PERFECT	**FUTURE PERFECT**
hube erguido etc	habré erguido etc
see page 100	see page 100

CONDITIONAL	*SUBJUNCTIVE*	
PRESENT	**PRESENT**	**PRESENT INFINITIVE**
erguiría	yerga	erguir
erguirías	yergas	
erguiría	yerga	**PAST INFINITIVE**
erguiríamos	irgamos	haber erguido
erguiríais	irgáis	
erguirían	yergan	

PERFECT	**IMPERFECT**	
habría erguido	irgu-iera/iese	**PRESENT PARTICIPLE**
habrías erguido	irgu-ieras/ieses	irguiendo
habría erguido	irgu-iera/iese	
habríamos erguido	irgu-iéramos/iésemos	**PAST PARTICIPLE**
habríais erguido	irgu-ierais/ieseis	erguido
habrían erguido	irgu-ieran/iesen	

PAST PERFECT
hubiera erguido
hubieras erguido
hubiera erguido
hubiéramos erguido
hubierais erguido
hubieran erguido

IMPERATIVE

(tú) yergue
(Vd) yerga
(nosotros) irgamos
(vosotros) erguid
(Vds) yergan

PRESENT PERFECT
haya erguido etc
see page 100

INDICATIVE
PRESENT
yerro
yerras
yerra
erramos
erráis
yerran

FUTURE
erraré
errarás
errará
erraremos
erraréis
errarán

IMPERFECT
erraba
errabas
erraba
errábamos
errabais
erraban

PRETERITE
erré
erraste
erró
erramos
errasteis
erraron

PRESENT PERFECT
he errado
has errado
ha errado
hemos errado
habéis errado
han errado

PAST PERFECT
había errado
habías errado
había errado
habíamos errado
habíais errado
habían errado

PRETERITE PERFECT
hube errado etc
see page 100

FUTURE PERFECT
habré errado etc
see page 100

CONDITIONAL
PRESENT
erraría
errarías
erraría
erraríamos
erraríais
errarían

SUBJUNCTIVE
PRESENT
yerre
yerres
yerre
erremos
erréis
yerren

PRESENT INFINITIVE
errar

PAST INFINITIVE
haber errado

PERFECT
habría errado
habrías errado
habría errado
habríamos errado
habríais errado
habrían errado

IMPERFECT
err-ara/ase
err-aras/ases
err-ara/ase
err-áramos/ásemos
err-arais/aseis
err-aran/asen

PRESENT PARTICIPLE
errando

PAST PARTICIPLE
errado

PAST PERFECT
hubiera errado
hubieras errado
hubiera errado
hubiéramos errado
hubierais errado
hubieran errado

IMPERATIVE
(tú) yerra
(Vd) yerre
(nosotros) erremos
(vosotros) errad
(Vds) yerren

PRESENT PERFECT
haya errado etc
see page 100

INDICATIVE

PRESENT	FUTURE	IMPERFECT
escribo	escribiré	escribía
escribes	escribirás	escribías
escribe	escribirá	escribía
escribimos	escribiremos	escribíamos
escribís	escribiréis	escribíais
escriben	escribirán	escribían

PRETERITE	PRESENT PERFECT	PAST PERFECT
escribí	he escrito	había escrito
escribiste	has escrito	habías escrito
escribió	ha escrito	había escrito
escribimos	hemos escrito	habíamos escrito
escribisteis	habéis escrito	habíais escrito
escribieron	han escrito	habían escrito

PRETERITE PERFECT	FUTURE PERFECT
hube escrito etc	habré escrito etc
see page 100	*see page 100*

CONDITIONAL	SUBJUNCTIVE	

PRESENT	PRESENT	PRESENT INFINITIVE
escribiría	escriba	escribir
escribirías	escribas	
escribiría	escriba	PAST INFINITIVE
escribiríamos	escribamos	haber escrito
escribiríais	escribáis	
escribirían	escriban	

PERFECT	IMPERFECT	PRESENT PARTICIPLE
habría escrito	escrib-iera/iese	escribiendo
habrías escrito	escrib-ieras/ieses	
habría escrito	escrib-iera/iese	PAST PARTICIPLE
habríamos escrito	escrib-iéramos/iésemos	escrito
habríais escrito	escrib-ierais/ieseis	
habrían escrito	escrib-ieran/iesen	

PAST PERFECT

hubiera escrito
hubieras escrito
hubiera escrito
hubiéramos escrito
hubierais escrito
hubieran escrito

IMPERATIVE

(tú) escribe
(Vd) escriba
(nosotros) escribamos
(vosotros) escribid
(Vds) escriban

PRESENT PERFECT

haya escrito etc
see page 100

88   ESFORZARSE to make an effort

INDICATIVE

PRESENT
me esfuerzo
te esfuerzas
se esfuerza
nos esforzamos
os esforzáis
se esfuerzan

FUTURE
me esforzaré
te esforzarás
se esforzará
nos esforzaremos
os esforzaréis
se esforzarán

IMPERFECT
me esforzaba
te esforzabas
se esforzaba
nos esforzábamos
os esforzabais
se esforzaban

PRETERITE
me esforcé
te esforzaste
se esforzó
nos esforzamos
os esforzasteis
se esforzaron

PRESENT PERFECT
me he esforzado
te has esforzado
se ha esforzado
nos hemos esforzado
os habéis esforzado
se han esforzado

PAST PERFECT
me había esforzado
te habías esforzado
se había esforzado
nos habíamos esforzado
os habíais esforzado
se habían esforzado

PRETERITE PERFECT
me hube esforzado etc
see page 100

FUTURE PERFECT
me habré esforzado
see page 100

CONDITIONAL

PRESENT
me esforzaría
te esforzarías
se esforzaría
nos esforzaríamos
os esforzaríais
se esforzarían

SUBJUNCTIVE

PRESENT
me esfuerce
te esfuerces
se esfuerce
nos esforcemos
os esforcéis
se esfuercen

PRESENT INFINITIVE
esforzarse

PAST INFINITIVE
haberse esforzado

PERFECT
me habría esforzado
te habrías esforzado
se habría esforzado
nos habríamos esforzado
os habríais esforzado
se habrían esforzado

IMPERFECT
me esforz-ara/ase
te esforz-aras/ases
se esforz-ara/ase
nos esforz-áramos/ásemos
os esforz-arais/aseis
se esforz-aran/asen

PRESENT PARTICIPLE
esforzándose

PAST PARTICIPLE
esforzado

PAST PERFECT
me hubiera esforzado
te hubieras esforzado
se hubiera esforzado
nos hubiéramos esforzado
os hubierais esforzado
se hubieran esforzado

IMPERATIVE
(tú) esfuérzate
(Vd) esfuércese
(nosotros) esforcémonos
(vosotros) esforzaos
(Vds) esfuércense

PRESENT PERFECT
me haya esforzado etc
see page 100

ESPERAR to wait, to hope

INDICATIVE

PRESENT	**FUTURE**	**IMPERFECT**
espero	esperaré	esperaba
esperas	esperarás	esperabas
espera	esperará	esperaba
esperamos	esperaremos	esperábamos
esperáis	esperaréis	esperabais
esperan	esperarán	esperaban

PRETERITE	**PRESENT PERFECT**	**PAST PERFECT**
esperé	he esperado	había esperado
esperaste	has esperado	habías esperado
esperó	ha esperado	había esperado
esperamos	hemos esperado	habíamos esperado
esperasteis	habéis esperado	habíais esperado
esperaron	han esperado	habían esperado

PRETERITE PERFECT	**FUTURE PERFECT**
hube esperado etc	habré esperado etc
see page 100	see page 100

CONDITIONAL

PRESENT	*SUBJUNCTIVE* **PRESENT**	*PRESENT INFINITIVE*
esperaría	espere	esperar
esperarías	esperes	
esperaría	espere	*PAST INFINITIVE*
esperaríamos	esperemos	haber esperado
esperaríais	esperéis	
esperarían	esperen	

PERFECT	**IMPERFECT**	*PRESENT PARTICIPLE*
habría esperado	esper-ara/ase	esperando
habrías esperado	esper-aras/ases	
habría esperado	esper-ara/ase	*PAST PARTICIPLE*
habríamos esperado	esper-áramos/ásemos	esperado
habríais esperado	esper-arais/aseis	
habrían esperado	esper-aran/asen	

PAST PERFECT

hubiera esperado
hubieras esperado
hubiera esperado
hubiéramos esperado
hubierais esperado
hubieran esperado

IMPERATIVE

(tú) espera
(Vd) espere
(nosotros) esperemos
(vosotros) esperad
(Vds) esperen

PRESENT PERFECT

haya esperado etc
see page 100

INDICATIVE

PRESENT	**FUTURE**	**IMPERFECT**
estoy	estaré	estaba
estás	estarás	estabas
está	estará	estaba
estamos	estaremos	estábamos
estáis	estaréis	estabais
están	estarán	estaban

PRETERITE	**PRESENT PERFECT**	**PAST PERFECT**
estuve	he estado	había estado
estuviste	has estado	habías estado
estuvo	ha estado	había estado
estuvimos	hemos estado	habíamos estado
estuvisteis	habéis estado	habíais estado
estuvieron	han estado	habían estado

PRETERITE PERFECT	**FUTURE PERFECT**
hube estado etc	habré estado etc
see page 100	see page 100

CONDITIONAL

PRESENT	**SUBJUNCTIVE** PRESENT	
estaría	esté	**PRESENT INFINITIVE**
estarías	estés	estar
estaría	esté	
estaríamos	estemos	**PAST INFINITIVE**
estaríais	estéis	haber estado
estarían	estén	

PERFECT	**IMPERFECT**	
habría estado	estuv-iera/ese	**PRESENT PARTICIPLE**
habrías estado	estuv-ieras/ieses	estando
habría estado	estuv-iera/iese	
habríamos estado	estuv-iéramos/iésemos	**PAST PARTICIPLE**
habríais estado	estuv-ierais/ieseis	estado
habrían estado	estuv-ieran/iesen	

PAST PERFECT
hubiera estado
hubieras estado
hubiera estado
hubiéramos estado
hubierais estado
hubieran estado

IMPERATIVE

(tú) está
(Vd) esté
(nosotros) estemos
(vosotros) estad
(Vds) estén

PRESENT PERFECT
haya estado etc
see page 100

NOTES

I   MEANING

to be *(place, mood, variable condition, state of health)*

(see Introduction p. xxxvii)

2   CONSTRUCTIONS

estar a	to be *(a price, a date, a distance)*
estar de	to be away on *(holiday, a trip, a walk)*, to be working as *(a cook, a cashier, etc)*
estar en	to be in *(a place)*
estar para	to be in the mood for

3   USAGE

intransitive:

el **Sr. Pérez** no está	Mr Pérez is not in

+ adjective:

su **madre** está enferma	her mother is ill

auxiliary + present participle:

está escribiendo un libro	she is writing a book

reflexive:

¡estáte callado!	be quiet!

4   PHRASES & IDIOMS

¿está Pablo?	may I speak to Pablo? *(on phone)*
¿cómo estás?	how are you?
¡ya está!	that's it!
¡ya estoy!	I'm ready!
estaba harta	I was fed up
¿estás loca?	are you crazy?
estamos a lunes	it's Monday
está de cocinero	he's working as a cook
está en la luna	she is daydreaming
no está para bromas	he's not in the mood for joking

INDICATIVE

PRESENT	**FUTURE**	**IMPERFECT**
estudio	estudiaré	estudiaba
estudias	estudiarás	estudiabas
estudia	estudiará	estudiaba
estudiamos	estudiaremos	estudiábamos
estudiáis	estudiaréis	estudiabais
estudian	estudiarán	estudiaban

PRETERITE	**PRESENT PERFECT**	**PAST PERFECT**
estudié	he estudiado	había estudiado
estudiaste	has estudiado	habías estudiado
estudió	ha estudiado	había estudiado
estudiamos	hemos estudiado	habíamos estudiado
estudiasteis	habéis estudiado	habíais estudiado
estudiaron	han estudiado	habían estudiado

PRETERITE PERFECT	**FUTURE PERFECT**
hube estudiado etc	habré estudiado etc
see page 100	see page 100

CONDITIONAL

PRESENT	**SUBJUNCTIVE** **PRESENT**	*PRESENT* *INFINITIVE*
estudiaría	estudie	estudiar
estudiarías	estudies	
estudiaría	estudie	*PAST*
estudiaríamos	estudiemos	*INFINITIVE*
estudiaríais	estudiéis	haber estudiado
estudiarían	estudien	

PERFECT	**IMPERFECT**	*PRESENT* *PARTICIPLE*
habría estudiado	estudi-ara/ase	estudiando
habrías estudiado	estudi-aras/ases	
habría estudiado	estudi-ara/ase	*PAST*
habríamos estudiado	estudi-áramos/ásemos	*PARTICIPLE*
habríais estudiado	estudi-arais/aseis	estudiado
habrían estudiado	estudi-aran/asen	

PAST PERFECT

hubiera estudiado
hubieras estudiado
hubiera estudiado
hubiéramos estudiado
hubierais estudiado
hubieran estudiado

IMPERATIVE

(tú) estudia
(Vd) estudie
(nosotros) estudiemos
(vosotros) estudiad
(Vds) estudien

PRESENT PERFECT

haya estudiado etc
see page 100

INDICATIVE
PRESENT

PRESENT	FUTURE	IMPERFECT
exijo	exigiré	exigía
exiges	exigirás	exigías
exige	exigirá	exigía
exigimos	exigiremos	exigíamos
exigís	exigiréis	exigíais
exigen	exigirán	exigían

PRETERITE	PRESENT PERFECT	PAST PERFECT
exigí	he exigido	había exigido
exigiste	has exigido	habías exigido
exigió	ha exigido	había exigido
exigimos	hemos exigido	habíamos exigido
exigisteis	habéis exigido	habíais exigido
exigieron	han exigido	habían exigido

PRETERITE PERFECT	FUTURE PERFECT
hube exigido etc	habré exigido etc
see page 100	*see page 100*

CONDITIONAL	*SUBJUNCTIVE*	*PRESENT INFINITIVE*
PRESENT	**PRESENT**	exigir
exigiría	exija	
exigirías	exijas	*PAST INFINITIVE*
exigiría	exija	haber exigido
exigiríamos	exijamos	
exigiríais	exijáis	
exigirían	exijan	

PERFECT	IMPERFECT	*PRESENT PARTICIPLE*
habría exigido	exig-iera/iese	exigiendo
habrías exigido	exig-ieras/ieses	
habría exigido	exig-iera/iese	*PAST PARTICIPLE*
habríamos exigido	exig-iéramos/iésemos	exigido
habríais exigido	exig-ierais/ieseis	
habrían exigido	exig-ieran/iesen	

PAST PERFECT
hubiera exigido
hubieras exigido
hubiera exigido
hubiéramos exigido
hubierais exigido
hubieran exigido

IMPERATIVE
(tú) exige
(Vd) exija
(nosotros) exijamos
(vosotros) exigid
(Vds) exijan

PRESENT PERFECT
haya exigido etc
see page 100

INDICATIVE

PRESENT	FUTURE	IMPERFECT
explico	explicaré	explicaba
explicas	explicarás	explicabas
explica	explicará	explicaba
explicamos	explicaremos	explicábamos
explicáis	explicaréis	explicabais
explican	explicarán	explicaban

PRETERITE	PRESENT PERFECT	PAST PERFECT
expliqué	he explicado	había explicado
explicaste	has explicado	habías explicado
explicó	ha explicado	había explicado
explicamos	hemos explicado	habíamos explicado
explicasteis	habéis explicado	habíais explicado
explicaron	han explicado	habían explicado

PRETERITE PERFECT
hube explicado etc
see page 100

FUTURE PERFECT
habré explicado etc
see page 100

CONDITIONAL

SUBJUNCTIVE		

PRESENT

	PRESENT	*PRESENT INFINITIVE*
explicaría	explique	explicar
explicarías	expliques	
explicaría	explique	*PAST INFINITIVE*
explicaríamos	expliquemos	haber explicado
explicaríais	expliquéis	
explicarían	expliquen	

PERFECT	IMPERFECT	*PRESENT PARTICIPLE*
habría explicado	explic-ara/ase	explicando
habrías explicado	explic-aras/ases	
habría explicado	explic-ara/ase	*PAST PARTICIPLE*
habríamos explicado	explic-áramos/ásemos	explicado
habríais explicado	explic-arais/aseis	
habrían explicado	explic-aran/asen	

PAST PERFECT
hubiera explicado
hubieras explicado
hubiera explicado
hubiéramos explicado
hubierais explicado
hubieran explicado

IMPERATIVE
(tú) explica
(Vd) explique
(nosotros) expliquemos
(vosotros) explicad
(Vds) expliquen

PRESENT PERFECT
haya explicado etc
see page 100

INDICATIVE

PRESENT	**FUTURE**	**IMPERFECT**
friego	fregaré	fregaba
friegas	fregarás	fregabas
friega	fregará	fregaba
fregamos	fregaremos	fregábamos
fregáis	fregaréis	fregabais
friegan	fregarán	fregaban

PRETERITE	**PRESENT PERFECT**	**PAST PERFECT**
fregué	he fregado	había fregado
fregaste	has fregado	habías fregado
fregó	ha fregado	había fregado
fregamos	hemos fregado	habíamos fregado
fregasteis	habéis fregado	habíais fregado
fregaron	han fregado	habían fregado

PRETERITE PERFECT	**FUTURE PERFECT**
hube fregado etc	habré fregado etc
see page 100	*see page 100*

CONDITIONAL

PRESENT	**SUBJUNCTIVE** **PRESENT**	**PRESENT INFINITIVE**
fregaría	friegue	fregar
fregarías	friegues	
fregaría	friegue	**PAST INFINITIVE**
fregaríamos	freguemos	haber fregado
fregaríais	freguéis	
fregarían	frieguen	

PERFECT	**IMPERFECT**	**PRESENT PARTICIPLE**
habría fregado	freg-ara/ase	fregando
habrías fregado	freg-aras/ases	
habría fregado	freg-ara/ase	**PAST PARTICIPLE**
habríamos fregado	freg-áramos/ásemos	fregado
habríais fregado	freg-arais/aseis	
habrían fregado	freg-aran/asen	

PAST PERFECT
hubiera fregado
hubieras fregado
hubiera fregado
hubiéramos fregado
hubierais fregado
hubieran fregado

IMPERATIVE
(tú) friega
(Vd) friegue
(nosotros) freguemos
(vosotros) fregad
(Vds) frieguen

PRESENT PERFECT
haya fregado etc
see page 100

INDICATIVE

PRESENT	FUTURE	IMPERFECT
frío	freiré	freía
fríes	freirás	freías
fríe	freirá	freía
freímos	freiremos	freíamos
freís	freiréis	freíais
fríen	freirán	freían

PRETERITE	PRESENT PERFECT	PAST PERFECT
freí	he frito	había frito
freíste	has frito	habías frito
frió	ha frito	había frito
freímos	hemos frito	habíamos frito
freísteis	habéis frito	habíais frito
frieron	han frito	habían frito

PRETERITE PERFECT	FUTURE PERFECT
hube frito etc	habré frito etc
see page 100	see page 100

CONDITIONAL	SUBJUNCTIVE	
PRESENT	**PRESENT**	**PRESENT INFINITIVE**
freiría	fría	freir
freirías	frías	
freiría	fría	**PAST INFINITIVE**
freiríamos	friamos	haber frito
freiríais	friáis	
freirían	frían	

PERFECT	IMPERFECT	PRESENT PARTICIPLE
habría frito	fr-iera/iese	friendo
habrías frito	fr-ieras/ieses	
habría frito	fr-iera/iese	**PAST PARTICIPLE**
habríamos frito	fr-iéramos/iésemos	frito
habríais frito	fr-ierais/ieseis	
habrían frito	fr-ieran/iesen	

PAST PERFECT

hubiera frito
hubieras frito
hubiera frito
hubiéramos frito
hubierais frito
hubieran frito

IMPERATIVE

(tú) fríe
(Vd) fría
(nosotros) friamos
(vosotros) freíd
(Vds) frían

PRESENT PERFECT

haya frito etc
see page 100

GEMIR to moan

INDICATIVE

PRESENT
gimo
gimes
gime
gemimos
gemís
gimen

FUTURE
gemiré
gemirás
gemirá
gemiremos
gemiréis
gemirán

IMPERFECT
gemía
gemías
gemía
gemíamos
gemíais
gemían

PRETERITE
gemí
gemiste
gimió
gemimos
gemisteis
gimieron

PRESENT PERFECT
he gemido
has gemido
ha gemido
hemos gemido
habéis gemido
han gemido

PAST PERFECT
había gemido
habías gemido
había gemido
habíamos gemido
habíais gemido
habían gemido

PRETERITE PERFECT
hube gemido etc
see page 100

FUTURE PERFECT
habré gemido etc
see page 100

CONDITIONAL

PRESENT
gemiría
gemirías
gemiría
gemiríamos
gemiríais
gemirían

SUBJUNCTIVE

PRESENT
gima
gimas
gima
gimamos
gimáis
giman

PRESENT INFINITIVE
gemir

PAST INFINITIVE
haber gemido

PERFECT
habría gemido
habrías gemido
habría gemido
habríamos gemido
habríais gemido
habrían gemido

IMPERFECT
gim-iera/iese
gim-ieras/ieses
gim-iera/iese
gim-iéramos/iésemos
gim-ierais/ieseis
gim-ieran/iesen

PRESENT PARTICIPLE
gimiendo

PAST PARTICIPLE
gemido

PAST PERFECT
hubiera gemido
hubieras gemido
hubiera gemido
hubiéramos gemido
hubierais gemido
hubieran gemido

IMPERATIVE
(tú) gime
(Vd) gima
(nosotros) gimamos
(vosotros) gemid
(Vds) giman

PRESENT PERFECT
haya gemido etc
see page 100

INDICATIVE

PRESENT	FUTURE	IMPERFECT
gruño	gruñiré	gruñía
gruñes	gruñirás	gruñías
gruñe	gruñirá	gruñía
gruñimos	gruñiremos	gruñíamos
gruñís	gruñiréis	gruñíais
gruñen	gruñirán	gruñían

PRETERITE	PRESENT PERFECT	PAST PERFECT
gruñí	he gruñido	había gruñido
gruñiste	has gruñido	habías gruñido
gruñó	ha gruñido	había gruñido
gruñimos	hemos gruñido	habíamos gruñido
gruñisteis	habéis gruñido	habíais gruñido
gruñeron	han gruñido	habían gruñido

PRETERITE PERFECT	FUTURE PERFECT
hube gruñido etc	habré gruñido etc
see page 100	see page 100

CONDITIONAL	SUBJUNCTIVE	
PRESENT	**PRESENT**	*PRESENT* *INFINITIVE*
gruñiría	gruña	gruñir
gruñirías	gruñas	
gruñiría	gruña	*PAST* *INFINITIVE*
gruñiríamos	gruñamos	haber gruñido
gruñiríais	gruñáis	
gruñirían	gruñan	

PERFECT	IMPERFECT	
habría gruñido	gruñ-era/ese	*PRESENT* *PARTICIPLE*
habrías gruñido	gruñ-eras/eses	gruñendo
habría gruñido	gruñ-era/ese	
habríamos gruñido	gruñ-éramos/ésemos	*PAST* *PARTICIPLE*
habríais gruñido	gruñ-erais/eseis	gruñido
habrían gruñido	gruñ-eran/esen	

PAST PERFECT

hubiera gruñido
hubieras gruñido
hubiera gruñido
hubiéramos gruñido
hubierais gruñido
hubieran gruñido

IMPERATIVE

(tú) gruñe
(Vd) gruña
(nosotros) gruñamos
(vosotros) gruñid
(Vds) gruñan

PRESENT PERFECT

haya gruñido etc
see page 100

Note: **tañer** and **atañer**
conjugate like **gruñir**
apart from the infinitives
which end in **-er**

INDICATIVE

PRESENT	FUTURE	IMPERFECT
guío	guiaré	guiaba
guías	guiarás	guiabas
guía	guiará	guiaba
guiamos	guiaremos	guiábamos
guiáis	guiaréis	guiabais
guían	guiarán	guiaban

PRETERITE	PRESENT PERFECT	PAST PERFECT
guié	he guiado	había guiado
guiaste	has guiado	habías guiado
guió	ha guiado	había guiado
guiamos	hemos guiado	habíamos guiado
guiasteis	habéis guiado	habíais guiado
guiaron	han guiado	habían guiado

PRETERITE PERFECT	FUTURE PERFECT
hube guiado etc	habré guiado etc
see page 100	see page 100

CONDITIONAL

PRESENT	SUBJUNCTIVE PRESENT	PRESENT INFINITIVE
guiaría	guíe	guiar
guiarías	guíes	
guiaría	guíe	PAST INFINITIVE
guiaríamos	guiemos	haber guiado
guiaríais	guiéis	
guiarían	guíen	

PERFECT	IMPERFECT	PRESENT PARTICIPLE
habría guiado	gui-ara/ase	guiando
habrías guiado	gui-aras/ases	
habría guiado	gui-ara/ase	PAST PARTICIPLE
habríamos guiado	gui-áramos/ásemos	guiado
habríais guiado	gui-arais/aseis	
habrían guiado	gui-aran/asen	

PAST PERFECT

hubiera guiado
hubieras guiado
hubiera guiado
hubiéramos guiado
hubierais guiado
hubieran guiado

IMPERATIVE

(tú) guía
(Vd) guíe
(nosotros) guiemos
(vosotros) guiad
(Vds) guíen

PRESENT PERFECT

haya guiado etc
see page 100

INDICATIVE

PRESENT	FUTURE	IMPERFECT
gusto	gustaré	gustaba
gustas	gustarás	gustabas
gusta	gustará	gustaba
gustamos	gustaremos	gustábamos
gustáis	gustaréis	gustabais
gustan	gustarán	gustaban

PRETERITE	PRESENT PERFECT	PAST PERFECT
gusté	he gustado	había gustado
gustaste	has gustado	habías gustado
gustó	ha gustado	había gustado
gustamos	hemos gustado	habíamos gustado
gustasteis	habéis gustado	habíais gustado
gustaron	han gustado	habían gustado

PRETERITE PERFECT	FUTURE PERFECT
hube gustado etc	habré gustado etc
see page 100	see page 100

CONDITIONAL	SUBJUNCTIVE	
PRESENT	**PRESENT**	***PRESENT INFINITIVE***
gustaría	guste	gustar
gustarías	gustes	
gustaría	guste	***PAST INFINITIVE***
gustaríamos	gustemos	haber gustado
gustaríais	gustéis	
gustarían	gusten	

PERFECT	IMPERFECT	***PRESENT PARTICIPLE***
habría gustado	gust-ara/ase	gustando
habrías gustado	gust-aras/ases	
habría gustado	gust-ara/ase	***PAST PARTICIPLE***
habríamos gustado	gust-áramos/ásemos	gustado
habríais gustado	gust-arais/aseis	
habrían gustado	gust-aran/asen	

PAST PERFECT

hubiera gustado
hubieras gustado
hubiera gustado
hubiéramos gustado
hubierais gustado
hubieran gustado

IMPERATIVE

(tú) gusta
(Vd) guste
(nosotros) gustemos
(vosotros) gustad
(Vds) gusten

PRESENT PERFECT

haya gustado etc
see page 100

NOTES

1 MEANING

to please (usually translated by "like")

2 USAGE

intransitive:

es una canción que gusta	it's a popular song

When **gustar** means "to like", it is only used in the third person with the pronouns **me, te, le, nos, os, les**:

+ indirect object + infinitive:

¿te gusta el fútbol?	do you like soccer?
a Jorge le gustan las lentejas	Jorge likes lentils
me gustas mucho	I like you a lot
(a ellos) no les gusta trabajar	they don't like to work
me gustaría ir a Roma	I'd like to go to Rome

*+ indirect object + **que** + subjunctive:*

me gusta que cantes	I like it when you sing
le gustaría que vinieras	he would like you to come

3 PHRASES & IDIOMS

como usted guste	as you wish
mucho gusto/tanto gusto	pleased to meet you
el gusto es mío	it's my pleasure
¡ya me gustaría!	I wish!, if only!
no me gusta cómo viste	I don't like the way she dresses
el anuncio no gustó nada	the advert was not popular

INDICATIVE

PRESENT	**FUTURE**	**IMPERFECT**
he	habré	había
has	habrás	habías
ha	habrá	había
hemos	habremos	habíamos
habéis	habréis	habíais
han	habrán	habían

PRETERITE	**PRESENT PERFECT**	**PAST PERFECT**
hube	he habido	había habido
hubiste	has habido	habías habido
hubo	ha habido	había habido
hubimos	hemos habido	habíamos habido
hubisteis	habéis habido	habíais habido
hubieron	han habido	habían habido

PRETERITE PERFECT	**FUTURE PERFECT**
hube habido etc	habré habido etc
see PRETERITE	*see FUTURE*

CONDITIONAL	*SUBJUNCTIVE*	*PRESENT INFINITIVE*
PRESENT	**PRESENT**	
habría	haya	haber
habrías	hayas	
habría	haya	*PAST INFINITIVE*
habríamos	hayamos	haber habido
habríais	hayáis	
habrían	hayan	

PERFECT	**IMPERFECT**	*PRESENT PARTICIPLE*
habría habido	hub-iera/iese	habiendo
habrías habido	hub-ieras/ieses	
habría habido	hub-iera/iese	*PAST PARTICIPLE*
habríamos habido	hub-iéramos/iésemos	habido
habríais habido	hub-ierais/ieseis	
habrían habido	hub-ieran/iesen	

PAST PERFECT
hubiera habido
hubieras habido
hubiera habido
hubiéramos habido
hubierais habido
hubieran habido

IMPERATIVE
(tú)
(Vd)
(nosotros)
(vosotros)
(Vds)

PRESENT PERFECT
haya habido etc
see PRESENT SUBJUNCTIVE

NOTES

1 MEANING

auxiliary: to have
impersonal: there is, there are (**hay**); there was, there were (**había**)

2 USAGE

auxiliary:

¿has estado en Brasil?	have you been to Brazil?

+ de + infinitive:

he de salir temprano	I have to leave early
hemos de encontrarlo	we have to find it

impersonal:

¿hay pan?	is there any bread?
no, no hay	no, there isn't any
había mucho ruido	there was a lot of noise
no había coches	there were no cars

+ que + infinitive:

hay que tener paciencia	you must be patient
había que ir con cuidado	you had to be careful
habría que ayudarlo	we should help him

3 PHRASES & IDIOMS

¿qué he de hacer?	what am I to do?
no hay de qué	not at all, you're welcome
¿qué hay?	what's up?
¡hay que ver!	it's incredible!, fancy that!
no hay más que hablar/decir	it's settled
hay mucho que hacer	there's a lot to be done
¿cuánto hay de aquí al río?	how far is it to the river?
todo lo habido y por haber	everything imaginable

HABITAR to inhabit

INDICATIVE

PRESENT	FUTURE	IMPERFECT
habito	habitaré	habitaba
habitas	habitarás	habitabas
habita	habitará	habitaba
habitamos	habitaremos	habitábamos
habitáis	habitaréis	habitabais
habitan	habitarán	habitaban

PRETERITE	PRESENT PERFECT	PAST PERFECT
habité	he habitado	había habitado
habitaste	has habitado	habías habitado
habitó	ha habitado	había habitado
habitamos	hemos habitado	habíamos habitado
habitasteis	habéis habitado	habíais habitado
habitaron	han habitado	habían habitado

PRETERITE PERFECT	FUTURE PERFECT
hube habitado etc	habré habitado etc
see page 100	*see page 100*

CONDITIONAL / SUBJUNCTIVE

CONDITIONAL PRESENT	SUBJUNCTIVE PRESENT	PRESENT INFINITIVE
habitaría	habite	habitar
habitarías	habites	
habitaría	habite	PAST INFINITIVE
habitaríamos	habitemos	haber habitado
habitaríais	habitéis	
habitarían	habiten	

PERFECT	IMPERFECT	PRESENT PARTICIPLE
habría habitado	habit-ara/ase	habitando
habrías habitado	habit-aras/ases	
habría habitado	habit-ara/ase	PAST PARTICIPLE
habríamos habitado	habit-áramos/ásemos	habitado
habríais habitado	habit-arais/aseis	
habrían habitado	habit-aran/asen	

PAST PERFECT
hubiera habitado
hubieras habitado
hubiera habitado
hubiéramos habitado
hubierais habitado
hubieran habitado

IMPERATIVE

(tú) habita
(Vd) habite
(nosotros) habitemos
(vosotros) habitad
(Vds) habiten

PRESENT PERFECT
haya habitado etc
see page 100

INDICATIVE

PRESENT	FUTURE	IMPERFECT
hablo	hablaré	hablaba
hablas	hablarás	hablabas
habla	hablará	hablaba
hablamos	hablaremos	hablábamos
habláis	hablaréis	hablabais
hablan	hablarán	hablaban

PRETERITE	PRESENT PERFECT	PAST PERFECT
hablé	he hablado	había hablado
hablaste	has hablado	habías hablado
habló	ha hablado	había hablado
hablamos	hemos hablado	habíamos hablado
hablasteis	habéis hablado	habíais hablado
hablaron	han hablado	habían hablado

PRETERITE PERFECT	FUTURE PERFECT
hube hablado etc	habré hablado etc
see page 100	*see page 100*

CONDITIONAL	SUBJUNCTIVE	
PRESENT	**PRESENT**	**PRESENT INFINITIVE**
hablaría	hable	hablar
hablarías	hables	
hablaría	hable	**PAST INFINITIVE**
hablaríamos	hablemos	
hablaríais	habléis	haber hablado
hablarían	hablen	

PERFECT	**IMPERFECT**	**PRESENT PARTICIPLE**
habría hablado	habl-ara/ase	
habrías hablado	habl-aras/ases	hablando
habría hablado	habl-ara/ase	
habríamos hablado	habl-áramos/ásemos	**PAST PARTICIPLE**
habríais hablado	habl-arais/aseis	
habrían hablado	habl-aran/asen	hablado

PAST PERFECT

hubiera hablado
hubieras hablado
hubiera hablado
hubiéramos hablado
hubierais hablado
hubieran hablado

IMPERATIVE

(tú) habla
(Vd) hable
(nosotros) hablemos
(vosotros) hablad
(Vds) hablen

PRESENT PERFECT

haya hablado etc
see page 100

HACER to make, to do

INDICATIVE

PRESENT	FUTURE	IMPERFECT
hago	haré	hacía
haces	harás	hacías
hace	hará	hacía
hacemos	haremos	hacíamos
hacéis	haréis	hacíais
hacen	harán	hacían

PRETERITE	PRESENT PERFECT	PAST PERFECT
hice	he hecho	había hecho
hiciste	has hecho	habías hecho
hizo	ha hecho	había hecho
hicimos	hemos hecho	habíamos hecho
hicisteis	habéis hecho	habíais hecho
hicieron	han hecho	habían hecho

PRETERITE PERFECT	FUTURE PERFECT
hube hecho etc	habré hecho etc
see page 100	see page 100

CONDITIONAL

PRESENT		
haría		
harías		
haría		
haríamos		
haríais		
harían		

PERFECT
habría hecho
habrías hecho
habría hecho
habríamos hecho
habríais hecho
habrían hecho

SUBJUNCTIVE

PRESENT
haga
hagas
haga
hagamos
hagáis
hagan

IMPERFECT
hic-iera/iese
hic-ieras/ieses
hic-iera/iese
hic-iéramos/iésemos
hic-ierais/ieseis
hic-ieran/iesen

PAST PERFECT

hubiera hecho
hubieras hecho
hubiera hecho
hubiéramos hecho
hubierais hecho
hubieran hecho

PRESENT PERFECT

haya hecho etc
see page 100

PRESENT INFINITIVE

hacer

PAST INFINITIVE

haber hecho

PRESENT PARTICIPLE

haciendo

PAST PARTICIPLE

hecho

IMPERATIVE

(tú) haz
(Vd) haga
(nosotros) hagamos
(vosotros) haced
(Vds) hagan

NOTES

I MEANING

transitive: to make *(money, the bed)*, to prepare *(food, a meal)*, to pack *(a suitcase)*

reflexive: to become *(old, famous etc)*

2 CONSTRUCTIONS

hacerse a	to get used to *(an idea, doing something)*
hacer de	to work as, to act as

3 USAGE

transitive:
cada día hace la cena	every day he makes dinner

+ *infinitive* or + **que** + *subjunctive:*
le hice venir	I made him come
haré que lo repitan	I'll make them re-do it

impersonal:
hace frío/calor/viento/sol	it's cold/hot/windy/sunny
lo vi hace dos años	I saw him two years ago
hace un mes que no llueve	it hasn't rained for a month
no hablamos desde hace un año	we haven't talked for a year

reflexive:
se está haciendo viejo	he's getting old

4 PHRASES & IDIOMS

¿qué haces?	what are you doing?, what do you do?
no sé qué hacer	I don't know what to do
¿qué le vamos a hacer?	what is there to do?
haz como si nada/lloviera	act as if nothing happened
¡no hagas el tonto!	don't be silly!
hacerse el sordo/sueco/tonto	to pretend you don't understand
¿cómo se hace?	how do you do this?
¡háganse a un lado!	move over!
me hace ilusión verte	I look forward to seeing you

INDICATIVE
PRESENT

hiela

FUTURE

helará

IMPERFECT

helaba

PRETERITE

heló

PRESENT PERFECT

ha helado

PAST PERFECT

había helado

PRETERITE PERFECT
hubo helado
see page 100

FUTURE PERFECT
habrá helado
see page 100

CONDITIONAL
PRESENT

helaría

SUBJUNCTIVE
PRESENT

hiele

PRESENT INFINITIVE
helar

PAST INFINITIVE
haber helado

PERFECT

habría helado

IMPERFECT

hel-ara/ase

PRESENT PARTICIPLE
helando

PAST PARTICIPLE
helado

PAST PERFECT

hubiera helado

IMPERATIVE

PRESENT PERFECT
haya helado etc
see page 100

INDICATIVE

PRESENT	FUTURE	IMPERFECT
hiero	heriré	hería
hieres	herirás	herías
hiere	herirá	hería
herimos	heriremos	heríamos
herís	heriréis	heríais
hieren	herirán	herían

PRETERITE	PRESENT PERFECT	PAST PERFECT
heri	he herido	había herido
heriste	has herido	habías herido
hirió	ha herido	había herido
herimos	hemos herido	habíamos herido
heristeis	habéis herido	habíais herido
hirieron	han herido	habían herido

PRETERITE PERFECT	FUTURE PERFECT
hube herido etc	habré herido etc
see page 100	*see page 100*

CONDITIONAL

PRESENT		
heriría		
herirías		
heriría		
heriríamos		
heriríais		
herirían		

PERFECT
habría herido
habrías herido
habría herido
habríamos herido
habriais herido
habrían herido

SUBJUNCTIVE

PRESENT
hiera
hieras
hiera
hiramos
hiráis
hieran

IMPERFECT
hir-iera/iese
hir-ieras/ieses
hir-iera/iese
hir-iéramos/iésemos
hir-ierais/ieseis
hir-ieran/iesen

PAST PERFECT
hubiera herido
hubieras herido
hubiera herido
hubiéramos herido
hubierais herido
hubieran herido

PRESENT PERFECT
haya herido etc
see page 100

PRESENT INFINITIVE
herir

PAST INFINITIVE
haber herido

PRESENT PARTICIPLE
hiriendo

PAST PARTICIPLE
herido

IMPERATIVE

(tú) hiere
(Vd) hiera
(nosotros) hiramos
(vosotros) herid
(Vds) hieran

INDICATIVE

PRESENT	FUTURE	IMPERFECT
hiervo	herviré	hervía
hierves	hervirás	hervías
hierve	hervirá	hervía
hervimos	herviremos	hervíamos
hervís	herviréis	hervíais
hierven	hervirán	hervían

PRETERITE	PRESENT PERFECT	PAST PERFECT
herví	he hervido	había hervido
herviste	has hervido	habías hervido
hirvió	ha hervido	había hervido
hervimos	hemos hervido	habíamos hervido
hervisteis	habéis hervido	habíais hervido
hirvieron	han hervido	habían hervido

PRETERITE PERFECT	FUTURE PERFECT
hube hervido etc	habré hervido etc
see page 100	see page 100

CONDITIONAL

PRESENT
herviría
hervirías
herviría
herviríamos
herviríais
hervirían

PERFECT
habría hervido
habrías hervido
habría hervido
habríamos hervido
habríais hervido
habrían hervido

SUBJUNCTIVE

PRESENT
hierva
hiervas
hierva
hirvamos
hirváis
hiervan

IMPERFECT
hirv-iera/iese
hirv-ieras/ieses
hirv-iera/iese
hirv-iéramos/iésemos
hirv-ierais/ieseis
hirv-ieran/iesen

PAST PERFECT
hubiera hervido
hubieras hervido
hubiera hervido
hubiéramos hervido
hubierais hervido
hubieran hervido

PRESENT PERFECT
haya hervido etc
see page 100

IMPERATIVE

(tú) hierve
(Vd) hierva
(nosotros) hirvamos
(vosotros) hervid
(Vds) hiervan

PRESENT INFINITIVE
hervir

PAST INFINITIVE
haber hervido

PRESENT PARTICIPLE
hirviendo

PAST PARTICIPLE
hervido

HUIR to run away

INDICATIVE

PRESENT
huyo
huyes
huye
huimos
huis
huyen

FUTURE
huiré
huirás
huirá
huiremos
huiréis
huirán

IMPERFECT
huía
huías
huía
huíamos
huíais
huían

PRETERITE
hui
huiste
huyó
huimos
huisteis
huyeron

PRESENT PERFECT
he huido
has huido
ha huido
hemos huido
habéis huido
han huido

PAST PERFECT
había huido
habías huido
había huido
habíamos huido
habíais huido
habían huido

PRETERITE PERFECT
hube huido etc
see page 100

FUTURE PERFECT
habré huido etc
see page 100

CONDITIONAL

PRESENT
huiría
huirías
huiría
huiríamos
huiríais
huirían

SUBJUNCTIVE

PRESENT
huya
huyas
huya
huyamos
huyáis
huyan

PRESENT INFINITIVE
huir

PAST INFINITIVE
haber huido

PERFECT
habría huido
habrías huido
habría huido
habríamos huido
habríais huido
habrían huido

IMPERFECT
hu-yera/yese
hu-yeras/yeses
hu-yera/yese
hu-yéramos/yésemos
hu-yerais/yeseis
hu-yeran/yesen

PRESENT PARTICIPLE
huyendo

PAST PARTICIPLE
huido

PAST PERFECT
hubiera huido
hubieras huido
hubiera huido
hubiéramos huido
hubierais huido
hubieran huido

IMPERATIVE

(tú) huye
(Vd) huya
(nosotros) huyamos
(vosotros) huid
(Vds) huyan

PRESENT PERFECT
haya huido etc
see page 100

INCLUIR to include

INDICATIVE

PRESENT	FUTURE	IMPERFECT
incluyo	incluiré	incluía
incluyes	incluirás	incluías
incluye	incluirá	incluía
incluimos	incluiremos	incluíamos
incluís	incluiréis	incluíais
incluyen	incluirán	incluían

PRETERITE	PRESENT PERFECT	PAST PERFECT
incluí	he incluido	había incluido
incluiste	has incluido	habías incluido
incluyó	ha incluido	había incluido
incluimos	hemos incluido	habíamos incluido
incluisteis	habéis incluido	habíais incluido
incluyeron	han incluido	habían incluido

PRETERITE PERFECT	FUTURE PERFECT
hube incluido etc	habré incluido etc
see page 100	see page 100

CONDITIONAL

PRESENT	SUBJUNCTIVE PRESENT	PRESENT INFINITIVE
incluiría	incluya	incluir
incluirías	incluyas	
incluiría	incluya	PAST INFINITIVE
incluiríamos	incluyamos	haber incluido
incluiríais	incluyáis	
incluirían	incluyan	

PERFECT	IMPERFECT	PRESENT PARTICIPLE
habría incluido	inclu-yera/yese	incluyendo
habrías incluido	inclu-yeras/yeses	
habría incluido	inclu-yera/yese	PAST PARTICIPLE
habríamos incluido	inclu-yéramos/yésemos	incluido
habríais incluido	inclu-yerais/yeseis	
habrían incluido	inclu-yeran/yesen	

PAST PERFECT

hubiera incluido
hubieras incluido
hubiera incluido
hubiéramos incluido
hubierais incluido
hubieran incluido

IMPERATIVE

(tú) incluye
(Vd) incluya
(nosotros) incluyamos
(vosotros) incluid
(Vds) incluyan

PRESENT PERFECT

haya incluido etc
see page 100

INDICATIVE

PRESENT	**FUTURE**	**IMPERFECT**
indico	indicaré	indicaba
indicas	indicarás	indicabas
indica	indicará	indicaba
indicamos	indicaremos	indicábamos
indicáis	indicaréis	indicabais
indican	indicarán	indicaban

PRETERITE	**PRESENT PERFECT**	**PAST PERFECT**
indiqué	he indicado	había indicado
indicaste	has indicado	habías indicado
indicó	ha indicado	había indicado
indicamos	hemos indicado	habíamos indicado
indicasteis	habéis indicado	habíais indicado
indicaron	han indicado	habían indicado

PRETERITE PERFECT	**FUTURE PERFECT**
hube indicado etc	habré indicado etc
see page 100	*see page 100*

CONDITIONAL   *SUBJUNCTIVE*

PRESENT	**PRESENT**	*PRESENT INFINITIVE*
indicaría	indique	indicar
indicarías	indiques	
indicaría	indique	*PAST INFINITIVE*
indicaríamos	indiquemos	haber indicado
indicaríais	indiquéis	
indicarían	indiquen	

PERFECT	**IMPERFECT**	*PRESENT PARTICIPLE*
habría indicado	indic-ara/ase	indicando
habrías indicado	indic-aras/ases	
habría indicado	indic-ara/ase	*PAST PARTICIPLE*
habríamos indicado	indic-áramos/ásemos	indicado
habríais indicado	indic-arais/aseis	
habrían indicado	indic-aran/asen	

PAST PERFECT
hubiera indicado
hubieras indicado
hubiera indicado
hubiéramos indicado
hubierais indicado
hubieran indicado

IMPERATIVE

(tú) indica
(Vd) indique
(nosotros) indiquemos
(vosotros) indicad
(Vds) indiquen

PRESENT PERFECT
haya indicado etc
see page 100

INDICATIVE

PRESENT	FUTURE	IMPERFECT
voy	iré	iba
vas	irás	ibas
va	irá	iba
vamos	iremos	íbamos
vais	iréis	ibais
van	irán	iban

PRETERITE	PRESENT PERFECT	PAST PERFECT
fui	he ido	había ido
fuiste	has ido	habías ido
fue	ha ido	había ido
fuimos	hemos ido	habíamos ido
fuisteis	habéis ido	habíais ido
fueron	han ido	habían ido

PRETERITE PERFECT	FUTURE PERFECT
hube ido etc	habré ido etc
see page 100	see page 100

CONDITIONAL	SUBJUNCTIVE	
PRESENT	**PRESENT**	*PRESENT INFINITIVE*
iría	vaya	ir
irías	vayas	
iría	vaya	*PAST INFINITIVE*
iríamos	vayamos	haber ido
iríais	vayáis	
irían	vayan	

PERFECT	IMPERFECT	PRESENT PARTICIPLE
habría ido	fu-era/ese	yendo
habrías ido	fu-eras/eses	
habría ido	fu-era/ese	PAST PARTICIPLE
habríamos ido	fu-éramos/ésemos	ido
habríais ido	fu-erais/eseis	
habrían ido	fu-eran/esen	

PAST PERFECT

hubiera ido
hubieras ido
hubiera ido
hubiéramos ido
hubierais ido
hubieran ido

IMPERATIVE

(tú) ve
(Vd) vaya
(nosotros) vamos
(vosotros) id
(Vds) vayan

PRESENT PERFECT

haya ido etc
see page 100

NOTES

1 MEANING

intransitive: to go

reflexive: to leave, to get to

2 CONSTRUCTIONS

ir a	to go to *(a place, on foot, by horse)*
ir de	to go *(shopping, fishing, on holiday)*
	to be dressed in *(a colour, a particular style)*
ir de/desde ... a	to go from *(one place)* to *(another)*
ir en	to go by *(car, train, plane, bicycle)*
ir hacia/hasta	to go towards/as far as *(a place)*

3 USAGE

intransitive:

fuimos a Barcelona en avión	we went to Barcelona by plane

+ a + infinitive:

ha ido a ver a sus padres	she's gone to visit her parents
voy a llamarlo	I'm going to phone him
iban a venir	they were going to come

reflexive:

¿por dónde se va a la estación?	how do you get to the station?
se va por ahí	it's that way
se fue a las 10	he left at 10

4 PHRASES & IDIOMS

¿nos vamos?/¡vámonos!	shall we go?/let's go!
no me va bien el jersey	the sweater doesn't fit me
me va grande/pequeño	it's too large/small
¿le va bien el jueves?	does Thursday suit you?
¿cómo (te) va todo?	how is it going?
¡ve con cuidado!	be careful!
¡qué va!	nonsense!
¡vete a la porra!	get lost!
vaya, vaya ...	well, well, now ...
¡qué (le) vaya bien!	goodbye!

INDICATIVE

PRESENT	FUTURE	IMPERFECT
juego	jugaré	jugaba
juegas	jugarás	jugabas
juega	jugará	jugaba
jugamos	jugaremos	jugábamos
jugáis	jugaréis	jugabais
juegan	jugarán	jugaban

PRETERITE	PRESENT PERFECT	PAST PERFECT
jugué	he jugado	había jugado
jugaste	has jugado	habías jugado
jugó	ha jugado	había jugado
jugamos	hemos jugado	habíamos jugado
jugasteis	habéis jugado	habíais jugado
jugaron	han jugado	habían jugado

PRETERITE PERFECT	FUTURE PERFECT
hube jugado etc	habré jugado etc
see page 100	see page 100

CONDITIONAL

PRESENT	SUBJUNCTIVE PRESENT	PRESENT INFINITIVE
jugaría	juegue	jugar
jugarías	juegues	
jugaría	juegue	PAST INFINITIVE
jugaríamos	juguemos	haber jugado
jugaríais	juguéis	
jugarían	jueguen	

PERFECT	IMPERFECT	PRESENT PARTICIPLE
habría jugado	jug-ara/ase	jugando
habrías jugado	jug-aras/ases	
habría jugado	jug-ara/ase	PAST PARTICIPLE
habríamos jugado	jug-áramos/ásemos	jugado
habríais jugado	jug-arais/aseis	
habrían jugado	jug-aran/asen	

PAST PERFECT

hubiera jugado
hubieras jugado
hubiera jugado
hubiéramos jugado
hubierais jugado
hubieran jugado

IMPERATIVE

(tú) juega
(Vd) juegue
(nosotros) juguemos
(vosotros) jugad
(Vds) jueguen

PRESENT PERFECT

haya jugado etc
see page 100

JUZGAR to judge

INDICATIVE

PRESENT	FUTURE	IMPERFECT
juzgo	juzgaré	juzgaba
juzgas	juzgarás	juzgabas
juzga	juzgará	juzgaba
juzgamos	juzgaremos	juzgábamos
juzgáis	juzgaréis	juzgabais
juzgan	juzgarán	juzgaban

PRETERITE	PRESENT PERFECT	PAST PERFECT
juzgué	he juzgado	había juzgado
juzgaste	has juzgado	habías juzgado
juzgó	ha juzgado	había juzgado
juzgamos	hemos juzgado	habíamos juzgado
juzgasteis	habéis juzgado	habíais juzgado
juzgaron	han juzgado	habían juzgado

PRETERITE PERFECT	FUTURE PERFECT
hube juzgado etc	habré juzgado etc
see page 100	see page 100

CONDITIONAL

PRESENT
juzgaría
juzgarías
juzgaría
juzgaríamos
juzgaríais
juzgarían

PERFECT
habría juzgado
habrías juzgado
habría juzgado
habríamos juzgado
habríais juzgado
habrían juzgado

SUBJUNCTIVE

PRESENT
juzgue
juzgues
juzgue
juzguemos
juzguéis
juzguen

IMPERFECT
juzg-ara/ase
juzg-aras/ases
juzg-ara/ase
juzg-áramos/ásemos
juzg-arais/aseis
juzg-aran/asen

PAST PERFECT
hubiera juzgado
hubieras juzgado
hubiera juzgado
hubiéramos juzgado
hubierais juzgado
hubieran juzgado

PRESENT PERFECT
haya juzgado etc
see page 100

IMPERATIVE

(tú) juzga
(Vd) juzgue
(nosotros) juzguemos
(vosotros) juzgad
(Vds) juzguen

PRESENT INFINITIVE
juzgar

PAST INFINITIVE
haber juzgado

PRESENT PARTICIPLE
juzgando

PAST PARTICIPLE
juzgado

INDICATIVE

PRESENT	FUTURE	IMPERFECT
leo	leeré	leía
lees	leerás	leías
lee	leerá	leía
leemos	leeremos	leíamos
leéis	leeréis	leíais
leen	leerán	leían

PRETERITE	PRESENT PERFECT	PAST PERFECT
leí	he leído	había leído
leíste	has leído	habías leído
leyó	ha leído	había leído
leímos	hemos leído	habíamos leído
leísteis	habéis leído	habíais leído
leyeron	han leído	habían leído

PRETERITE PERFECT	FUTURE PERFECT
hube leído etc	habré leído etc
see page 100	*see page 100*

CONDITIONAL	SUBJUNCTIVE	
PRESENT	**PRESENT**	**PRESENT INFINITIVE**
leería	lea	leer
leerías	leas	
leería	lea	**PAST INFINITIVE**
leeríamos	leamos	haber leído
leeríais	leáis	
leerían	lean	

PERFECT	IMPERFECT	
habría leído	le-yera/yese	**PRESENT PARTICIPLE**
habrías leído	le-yeras/yeses	leyendo
habría leído	le-yera/yese	
habríamos leído	le-yéramos/yésemos	**PAST PARTICIPLE**
habríais leído	le-yerais/yeseis	leído
habrían leído	le-yeran/yesen	

PAST PERFECT

hubiera leído
hubieras leído
hubiera leído
hubiéramos leído
hubierais leído
hubieran leído

IMPERATIVE

(tú) lee
(Vd) lea
(nosotros) leamos
(vosotros) leed
(Vds) lean

PRESENT PERFECT

haya leído etc
see page 100

INDICATIVE

PRESENT	**FUTURE**	**IMPERFECT**
luzco	luciré	lucía
luces	lucirás	lucías
luce	lucirá	lucía
lucimos	luciremos	lucíamos
lucís	luciréis	lucíais
lucen	lucirán	lucían

PRETERITE	**PRESENT PERFECT**	**PAST PERFECT**
lucí	he lucido	había lucido
luciste	has lucido	habías lucido
lució	ha lucido	había lucido
lucimos	hemos lucido	habíamos lucido
lucisteis	habéis lucido	habíais lucido
lucieron	han lucido	habían lucido

PRETERITE PERFECT	**FUTURE PERFECT**
hube lucido etc	habré lucido
see page 100	*see page 100*

CONDITIONAL	**SUBJUNCTIVE**	
PRESENT	**PRESENT**	**PRESENT INFINITIVE**
luciría	luzca	lucir
lucirías	luzcas	
luciría	luzca	**PAST INFINITIVE**
luciríamos	luzcamos	haber lucido
luciríais	luzcáis	
lucirían	luzcan	

PERFECT	**IMPERFECT**	**PRESENT PARTICIPLE**
habría lucido	luc-iera/iese	luciendo
habrías lucido	luc-ieras/ieses	
habría lucido	luc-iera/iese	**PAST PARTICIPLE**
habríamos lucido	luc-iéramos/iésemos	lucido
habríais lucido	luc-ierais/ieseis	
habrían lucido	luc-ieran/iesen	

PAST PERFECT

hubiera lucido
hubieras lucido
hubiera lucido
hubiéramos lucido
hubierais lucido
hubieran lucido

IMPERATIVE

(tú) luce
(Vd) luzca
(nosotros) luzcamos
(vosotros) lucid
(Vds) luzcan

PRESENT PERFECT

haya lucido etc
see page 100

Note: when it means "to shine", **lucir** is only used in the 3rd person: **luce el sol** the sun shines

INDICATIVE

PRESENT	FUTURE	IMPERFECT
llamo	llamaré	llamaba
llamas	llamarás	llamabas
llama	llamará	llamaba
llamamos	llamaremos	llamábamos
llamáis	llamaréis	llamabais
llaman	llamarán	llamaban

PRETERITE	PRESENT PERFECT	PAST PERFECT
llamé	he llamado	había llamado
llamaste	has llamado	habías llamado
llamó	ha llamado	había llamado
llamamos	hemos llamado	habíamos llamado
llamasteis	habéis llamado	habíais llamado
llamaron	han llamado	habían llamado

PRETERITE PERFECT	FUTURE PERFECT
hube llamado etc	habré llamado etc
see page 100	*see page 100*

CONDITIONAL	SUBJUNCTIVE	PRESENT
PRESENT	**PRESENT**	*INFINITIVE*
llamaría	llame	llamar
llamarías	llames	
llamaría	llame	**PAST**
llamaríamos	llamemos	*INFINITIVE*
llamaríais	llaméis	haber llamado
llamarían	llamen	

PERFECT	IMPERFECT	PRESENT
habría llamado	llam-ara/ase	*PARTICIPLE*
habrías llamado	llam-aras/ases	llamando
habría llamado	llam-ara/ase	
habríamos llamado	llam-áramos/ásemos	**PAST**
habríais llamado	llam-arais/aseis	*PARTICIPLE*
habrían llamado	llam-aran/asen	llamado

PAST PERFECT
hubiera llamado
hubieras llamado
hubiera llamado
hubiéramos llamado
hubierais llamado
hubieran llamado

IMPERATIVE

(tú) llama
(Vd) llame
(nosotros) llamemos
(vosotros) llamad
(Vds) llamen

PRESENT PERFECT
haya llamado etc
see page 100

NOTES

1 MEANING

to call *(somebody, a name)*, to phone

2 CONSTRUCTIONS

llamar (algo) a	to call somebody *(something)*
llamar a	to call *(somebody, somewhere)*
llamar de/desde	to call from *(somewhere)*

3 USAGE

transitive:

¡llama al médico!	call the doctor!
vamos a llamarle Luis	we shall call him Luis

intransitive:

ha llamado Javier	Javier phoned

reflexive:

¿cómo te llamas?	what's your name?
me llamo Mónica	my name is Mónica

4 PHRASES & IDIOMS

¿quién llama?	*(on the phone)* who's calling?
llaman al timbre/a la puerta	someone's ringing/knocking at the door
¿puedo llamar (por teléfono)?	may I use the phone?
le gusta llamar la atención	he likes to attract attention
llámame de tú	address me using "tú"
le llamaron a juicio	he was summoned to court

LLEGAR to arrive

INDICATIVE

PRESENT	FUTURE	IMPERFECT
llego	llegaré	llegaba
llegas	llegarás	llegabas
llega	llegará	llegaba
llegamos	llegaremos	llegábamos
llegáis	llegaréis	llegabais
llegan	llegarán	llegaban

PRETERITE	PRESENT PERFECT	PAST PERFECT
llegué	he llegado	había llegado
llegaste	has llegado	habías llegado
llegó	ha llegado	había llegado
llegamos	hemos llegado	habíamos llegado
llegasteis	habéis llegado	habíais llegado
llegaron	han llegado	habían llegado

PRETERITE PERFECT
hube llegado etc
see page 100

FUTURE PERFECT
habré llegado etc
see page 100

CONDITIONAL

SUBJUNCTIVE

PRESENT	PRESENT	PRESENT INFINITIVE
llegaría	llegue	llegar
llegarías	llegues	
llegaría	llegue	PAST INFINITIVE
llegaríamos	lleguemos	haber llegado
llegaríais	lleguéis	
llegarían	lleguen	

PERFECT	IMPERFECT	PRESENT PARTICIPLE
habría llegado	lleg-ara/ase	llegando
habrías llegado	lleg-aras/ases	
habría llegado	lleg-ara/ase	PAST PARTICIPLE
habríamos llegado	lleg-áramos/ásemos	llegado
habríais llegado	lleg-arais/aseis	
habrían llegado	lleg-aran/asen	

PAST PERFECT
hubiera llegado
hubieras llegado
hubiera llegado
hubiéramos llegado
hubierais llegado
hubieran llegado

IMPERATIVE

(tú) llega
(Vd) llegue
(nosotros) lleguemos
(vosotros) llegad
(Vds) lleguen

PRESENT PERFECT
haya llegado etc
see page 100

INDICATIVE

PRESENT	FUTURE	IMPERFECT
lleno	llenaré	llenaba
llenas	llenarás	llenabas
llena	llenará	llenaba
llenamos	llenaremos	llenábamos
llenáis	llenaréis	llenabais
llenan	llenarán	llenaban

PRETERITE	PRESENT PERFECT	PAST PERFECT
llené	he llenado	había llenado
llenaste	has llenado	habías llenado
llenó	ha llenado	había llenado
llenamos	hemos llenado	habíamos llenado
llenasteis	habéis llenado	habíais llenado
llenaron	han llenado	habían llenado

PRETERITE PERFECT	FUTURE PERFECT
hube llenado etc	habré llenado etc
see page 100	see page 100

CONDITIONAL

PRESENT	SUBJUNCTIVE PRESENT	PRESENT INFINITIVE
llenaría	llene	llenar
llenarías	llenes	
llenaría	llene	PAST INFINITIVE
llenaríamos	llenemos	haber llenado
llenaríais	llenéis	
llenarían	llenen	

PERFECT	IMPERFECT	PRESENT PARTICIPLE
habría llenado	llen-ara/ase	llenando
habrías llenado	llen-aras/ases	
habría llenado	llen-ara/ase	PAST PARTICIPLE
habríamos llenado	llen-áramos/ásemos	llenado
habríais llenado	llen-arais/aseis	
habrían llenado	llen-aran/asen	

PAST PERFECT
hubiera llenado
hubieras llenado
hubiera llenado
hubiéramos llenado
hubierais llenado
hubieran llenado

IMPERATIVE

(tú) llena
(Vd) llene
(nosotros) llenemos
(vosotros) llenad
(Vds) llenen

PRESENT PERFECT
haya llenado etc
see page 100

INDICATIVE

PRESENT	FUTURE	IMPERFECT
llevo	llevaré	llevaba
llevas	llevarás	llevabas
lleva	llevará	llevaba
llevamos	llevaremos	llevábamos
lleváis	llevaréis	llevabais
llevan	llevarán	llevaban

PRETERITE	PRESENT PERFECT	PAST PERFECT
llevé	he llevado	había llevado
llevaste	has llevado	habías llevado
llevó	ha llevado	había llevado
llevamos	hemos llevado	habíamos llevado
llevasteis	habéis llevado	habíais llevado
llevaron	han llevado	habían llevado

PRETERITE PERFECT	FUTURE PERFECT
hube llevado etc	habré llevado etc
see page 100	*see page 100*

CONDITIONAL

PRESENT	SUBJUNCTIVE PRESENT	PRESENT INFINITIVE
llevaría	lleve	llevar
llevarías	lleves	
llevaría	lleve	PAST INFINITIVE
llevaríamos	llevemos	
llevaríais	llevéis	haber llevado
llevarían	lleven	

PERFECT	IMPERFECT	PRESENT PARTICIPLE
habría llevado	llev-ara/ase	
habrías llevado	llev-aras/ases	llevando
habría llevado	llev-ara/ase	
habríamos llevado	llev-áramos/ásemos	PAST PARTICIPLE
habríais llevado	llev-arais/aseis	
habrían llevado	llev-aran/asen	llevado

PAST PERFECT

hubiera llevado
hubieras llevado
hubiera llevado
hubiéramos llevado
hubierais llevado
hubieran llevado

IMPERATIVE

(tú) lleva
(Vd) lleve
(nosotros) llevemos
(vosotros) llevad
(Vds) lleven

PRESENT PERFECT

haya llevado etc
see page 100

NOTES

1 MEANING

transitive: to carry, to take *(luggage, money, letters)*, to wear *(clothes, glasses)*, to have *(a moustache, a beard)*
reflexive: to take with you

2 USAGE

transitive:

llevó un regalo a su madre	he took his mother a present
antes Rosa llevaba gafas	Rosa used to wear glasses

intransitive:

esta carretera lleva a Madrid	this road leads to Madrid

auxiliary + participle:

llevo dos horas estudiando	I've been studying for two hours
llevaba tres días lloviendo	it had been raining for three days
lleva escritas diez novelas	she's written three novels so far

reflexive:

me llevo el coche, ¿vale?	I'm taking the car, OK?

3 PHRASES & IDIOMS

¿me llevas (a casa)?	will you take me (home)?, will you give me a lift?
¡menuda vida lleva!	what a life he leads!
¿cuánto (tiempo) llevas aquí?	how long have you been here?
llevo unas tres semanas	about three weeks
el avión lleva dos horas de retraso	the plane is two hours late
mi prima me lleva tres años	my cousin is three years older than me
¿te llevas bien con ella?	do you get on well with her?
no, no nos llevamos bien	no, we don't get on

INDICATIVE

PRESENT	**FUTURE**	**IMPERFECT**
llueve	lloverá	llovía

PRETERITE	**PRESENT PERFECT**	**PAST PERFECT**
llovió	ha llovido	había llovido

PRETERITE PERFECT	**FUTURE PERFECT**
hubo llovido	habrá llovido
see page 100	see page 100

CONDITIONAL

PRESENT	*SUBJUNCTIVE* **PRESENT**	*PRESENT INFINITIVE* llover
llovería	llueva	*PAST INFINITIVE* haber llovido

PERFECT	**IMPERFECT**	*PRESENT PARTICIPLE* lloviendo
habría llovido	llov-iera/iese	*PAST PARTICIPLE* llovido

	PAST PERFECT
	hubiera llovido

IMPERATIVE

PRESENT PERFECT
haya llovido etc
see page 100

INDICATIVE

PRESENT	FUTURE	IMPERFECT
manejo	manejaré	manejaba
manejas	manejarás	manejabas
maneja	manejará	manejaba
manejamos	manejaremos	manejábamos
manejáis	manejaréis	manejabais
manejan	manejarán	manejaban

PRETERITE	PRESENT PERFECT	PAST PERFECT
manejé	he manejado	había manejado
manejaste	has manejado	habías manejado
manejó	ha manejado	había manejado
manejamos	hemos manejado	habíamos manejado
manejasteis	habéis manejado	habíais manejado
manejaron	han manejado	habían manejado

PRETERITE PERFECT	FUTURE PERFECT
hube manejado etc	habré manejado etc
see page 100	see page 100

CONDITIONAL

PRESENT	SUBJUNCTIVE PRESENT	PRESENT INFINITIVE
manejaría	maneje	manejar
manejarías	manejes	
manejaría	maneje	PAST INFINITIVE
manejaríamos	manejemos	haber manejado
manejaríais	manejéis	
manejarían	manejen	

PERFECT	IMPERFECT	PRESENT PARTICIPLE
habría manejado	manej-ara/ase	manejando
habrías manejado	manej-aras/ases	
habría manejado	manej-ara/ase	PAST PARTICIPLE
habríamos manejado	manej-áramos/ásemos	manejado
habríais manejado	manej-arais/aseis	
habrían manejado	manej-aran/asen	

PAST PERFECT

hubiera manejado
hubieras manejado
hubiera manejado
hubiéramos manejado
hubierais manejado
hubieran manejado

IMPERATIVE

(tú) maneja
(Vd) maneje
(nosotros) manejemos
(vosotros) manejad
(Vds) manejen

PRESENT PERFECT

haya manejado etc
see page 100

INDICATIVE

PRESENT	FUTURE	IMPERFECT
miento	mentiré	mentía
mientes	mentirás	mentías
miente	mentirá	mentía
mentimos	mentiremos	mentíamos
mentís	mentiréis	mentíais
mienten	mentirán	mentían

PRETERITE	PRESENT PERFECT	PAST PERFECT
mentí	he mentido	había mentido
mentiste	has mentido	habías mentido
mintió	ha mentido	había mentido
mentimos	hemos mentido	habíamos mentido
mentisteis	habéis mentido	habíais mentido
mintieron	han mentido	habían mentido

PRETERITE PERFECT	FUTURE PERFECT
hube mentido etc	habré mentido etc
see page 100	*see page 100*

CONDITIONAL	SUBJUNCTIVE	
PRESENT	**PRESENT**	**PRESENT INFINITIVE**
mentiría	mienta	mentir
mentirías	mientas	
mentiría	mienta	**PAST INFINITIVE**
mentiríamos	mintamos	haber mentido
mentiríais	mintáis	
mentirían	mientan	

PERFECT	IMPERFECT	PRESENT PARTICIPLE
habría mentido	mint-iera/iese	mintiendo
habrías mentido	mint-ieras/ieses	
habría mentido	mint-iera/iese	**PAST PARTICIPLE**
habríamos mentido	mint-iéramos/iésemos	mentido
habríais mentido	mint-ierais/ieseis	
habrían mentido	mint-ieran/iesen	

PAST PERFECT

hubiera mentido
hubieras mentido
hubiera mentido
hubiéramos mentido
hubierais mentido
hubieran mentido

IMPERATIVE

(tú) miente
(Vd) mienta
(nosotros) mintamos
(vosotros) mentid
(Vds) mientan

PRESENT PERFECT

haya mentido etc
see page 100

MERECER to deserve

INDICATIVE

PRESENT	FUTURE	IMPERFECT
merezco	mereceré	merecía
mereces	merecerás	merecías
merece	merecerá	merecía
merecemos	mereceremos	merecíamos
merecéis	mereceréis	merecíais
merecen	merecerán	merecían

PRETERITE	PRESENT PERFECT	PAST PERFECT
merecí	he merecido	había merecido
mereciste	has merecido	habías merecido
mereció	ha merecido	había merecido
merecimos	hemos merecido	habíamos merecido
merecisteis	habéis merecido	habíais merecido
merecieron	han merecido	habían merecido

PRETERITE PERFECT	FUTURE PERFECT
hube merecido etc	habré merecido etc
see page 100	see page 100

CONDITIONAL

SUBJUNCTIVE

PRESENT	PRESENT	PRESENT INFINITIVE
merecería	merezca	merecer
merecerías	merezcas	
merecería	merezca	PAST INFINITIVE
mereceríamos	merezcamos	haber merecido
mereceríais	merezcáis	
merecerían	merezcan	

PERFECT	IMPERFECT	PRESENT PARTICIPLE
habría merecido	merec-iera/iese	mereciendo
habrías merecido	merec-ieras/ieses	
habría merecido	merec-iera/iese	PAST PARTICIPLE
habríamos merecido	merec-iéramos/iésemos	merecido
habríais merecido	merec-ierais/ieseis	
habrían merecido	merec-ieran/iesen	

PAST PERFECT
hubiera merecido
hubieras merecido
hubiera merecido
hubiéramos merecido
hubierais merecido
hubieran merecido

IMPERATIVE

(tú) merece
(Vd) merezca
(nosotros) merezcamos
(vosotros) mereced
(Vds) merezcan

PRESENT PERFECT
haya merecido etc
see page 100

MORDER to bite

INDICATIVE

PRESENT	FUTURE	IMPERFECT
muerdo	morderé	mordía
muerdes	morderás	mordías
muerde	morderá	mordía
mordemos	morderemos	mordíamos
mordéis	morderéis	mordíais
muerden	morderán	mordían

PRETERITE	PRESENT PERFECT	PAST PERFECT
mordí	he mordido	había mordido
mordiste	has mordido	habías mordido
mordió	ha mordido	había mordido
mordimos	hemos mordido	habíamos mordido
mordisteis	habéis mordido	habíais mordido
mordieron	han mordido	habían mordido

PRETERITE PERFECT
hube mordido etc
see page 100

FUTURE PERFECT
habré mordido etc
see page 100

CONDITIONAL

PRESENT		
mordería		
morderías		
mordería		
morderíamos		
morderíais		
morderían		

SUBJUNCTIVE

PRESENT
muerda
muerdas
muerda
mordamos
mordáis
muerdan

PRESENT INFINITIVE
morder

PAST INFINITIVE
haber mordido

PERFECT
habría mordido
habrías mordido
habría mordido
habríamos mordido
habríais mordido
habrían mordido

IMPERFECT
mord-iera/iese
mord-ieras/ieses
mord-iera/iese
mord-iéramos/iésemos
mord-ierais/ieseis
mord-ieran/iesen

PRESENT PARTICIPLE
mordiendo

PAST PARTICIPLE
mordido

PAST PERFECT
hubiera mordido
hubieras mordido
hubiera mordido
hubiéramos mordido
hubierais mordido
hubieran mordido

IMPERATIVE

(tú) muerde
(Vd) muerda
(nosotros) mordamos
(vosotros) morded
(Vds) muerdan

PRESENT PERFECT
haya mordido etc
see page 100

INDICATIVE

PRESENT	**FUTURE**	**IMPERFECT**
muero	moriré	moría
mueres	morirás	morías
muere	morirá	moría
morimos	moriremos	moríamos
morís	moriréis	moríais
mueren	morirán	morían

PRETERITE	**PRESENT PERFECT**	**PAST PERFECT**
morí	he muerto	había muerto
moriste	has muerto	habías muerto
murió	ha muerto	había muerto
morimos	hemos muerto	habíamos muerto
moristeis	habéis muerto	habíais muerto
murieron	han muerto	habían muerto

PRETERITE PERFECT	**FUTURE PERFECT**
hube muerto etc	habré muerto etc
see page 100	*see page 100*

CONDITIONAL	*SUBJUNCTIVE*	*PRESENT*
PRESENT	**PRESENT**	*INFINITIVE*
moriría	muera	morir
morirías	mueras	
moriría	muera	*PAST*
moriríamos	muramos	*INFINITIVE*
moriríais	muráis	haber muerto
morirían	mueran	

PERFECT	**IMPERFECT**	*PRESENT*
habría muerto	mur-iera/iese	*PARTICIPLE*
habrías muerto	mur-ieras/ieses	muriendo
habría muerto	mur-iera/iese	
habríamos muerto	mur-iéramos/iésemos	*PAST*
habríais muerto	mur-ierais/ieseis	*PARTICIPLE*
habrían muerto	mur-ieran/iesen	muerto

PAST PERFECT
hubiera muerto
hubieras muerto
hubiera muerto
hubiéramos muerto
hubierais muerto
hubieran muerto

IMPERATIVE

(tú) muere
(Vd) muera
(nosotros) muramos
(vosotros) morid
(Vds) mueran

PRESENT PERFECT
haya muerto etc
see page 100

INDICATIVE

PRESENT	**FUTURE**	**IMPERFECT**
muevo	moveré	movía
mueves	moverás	movías
mueve	moverá	movía
movemos	moveremos	movíamos
movéis	moveréis	movíais
mueven	moverán	movían

PRETERITE	**PRESENT PERFECT**	**PAST PERFECT**
moví	he movido	había movido
moviste	has movido	habías movido
movió	ha movido	había movido
movimos	hemos movido	habíamos movido
movisteis	habéis movido	habíais movido
movieron	han movido	habían movido

PRETERITE PERFECT	**FUTURE PERFECT**
hube movido etc	habré movido etc
see page 100	*see page 100*

CONDITIONAL	*SUBJUNCTIVE*	*PRESENT INFINITIVE*
PRESENT	**PRESENT**	mover
movería	mueva	
moverías	muevas	*PAST INFINITIVE*
movería	mueva	haber movido
moveríamos	movamos	
moveríais	mováis	
moverían	muevan	

PERFECT	**IMPERFECT**	*PRESENT PARTICIPLE*
habría movido	mov-iera/iese	moviendo
habrías movido	mov-ieras/ieses	
habría movido	mov-iera/iese	*PAST PARTICIPLE*
habríamos movido	mov-iéramos/iésemos	movido
habríais movido	mov-ierais/ieseis	
habrían movido	mov-ieran/iesen	

PAST PERFECT
hubiera movido
hubieras movido
hubiera movido
hubiéramos movido
hubierais movido
hubieran movido

IMPERATIVE

(tú) mueve
(Vd) mueva
(nosotros) movamos
(vosotros) moved
(Vds) muevan

PRESENT PERFECT
haya movido etc
see page 100

NACER to be born   126

INDICATIVE

PRESENT	FUTURE	IMPERFECT
nazco	naceré	nacía
naces	nacerás	nacías
nace	nacerá	nacía
nacemos	naceremos	nacíamos
nacéis	naceréis	nacíais
nacen	nacerán	nacían

PRETERITE	PRESENT PERFECT	PAST PERFECT
nací	he nacido	había nacido
naciste	has nacido	habías nacido
nació	ha nacido	había nacido
nacimos	hemos nacido	habíamos nacido
nacisteis	habéis nacido	habíais nacido
nacieron	han nacido	habían nacido

PRETERITE PERFECT
hube nacido etc
see page 100

FUTURE PERFECT
habré nacido etc
see page 100

CONDITIONAL

PRESENT	SUBJUNCTIVE PRESENT	PRESENT INFINITIVE
nacería	nazca	nacer
nacerías	nazcas	
nacería	nazca	PAST INFINITIVE
naceríamos	nazcamos	haber nacido
naceríais	nazcáis	
nacerían	nazcan	

PERFECT	IMPERFECT	PRESENT PARTICIPLE
habría nacido	nac-iera/iese	naciendo
habrías nacido	nac-ieras/ieses	
habría nacido	nac-iera/iese	PAST PARTICIPLE
habríamos nacido	nac-iéramos/iésemos	nacido
habríais nacido	nac-ierais/ieseis	
habrían nacido	nac-ieran/iesen	

PAST PERFECT
hubiera nacido
hubieras nacido
hubiera nacido
hubiéramos nacido
hubierais nacido
hubieran nacido

IMPERATIVE

(tú) nace
(Vd) nazca
(nosotros) nazcamos
(vosotros) naced
(Vds) nazcan

PRESENT PERFECT
haya nacido etc
see page 100

NECESITAR to need

INDICATIVE

PRESENT	FUTURE	IMPERFECT
necesito	necesitaré	necesitaba
necesitas	necesitarás	necesitabas
necesita	necesitará	necesitaba
necesitamos	necesitaremos	necesitábamos
necesitáis	necesitaréis	necesitabais
necesitan	necesitarán	necesitaban

PRETERITE	PRESENT PERFECT	PAST PERFECT
necesité	he necesitado	había necesitado
necesitaste	has necesitado	habías necesitado
necesitó	ha necesitado	había necesitado
necesitamos	hemos necesitado	habíamos necesitado
necesitasteis	habéis necesitado	habíais necesitado
necesitaron	han necesitado	habían necesitado

PRETERITE PERFECT	FUTURE PERFECT
hube necesitado etc	habré necesitado etc
see page 100	*see page 100*

CONDITIONAL

PRESENT	SUBJUNCTIVE PRESENT	
necesitaría	necesite	**PRESENT INFINITIVE**
necesitarías	necesites	necesitar
necesitaría	necesite	
necesitaríamos	necesitemos	**PAST INFINITIVE**
necesitaríais	necesitéis	haber necesitado
necesitarían	necesiten	

PERFECT	IMPERFECT	
habría necesitado	necesit-ara/ase	**PRESENT PARTICIPLE**
habrías necesitado	necesit-aras/ases	necesitando
habría necesitado	necesit-ara/ase	
habríamos necesitado	necesit-áramos/ásemos	**PAST PARTICIPLE**
habríais necesitado	necesit-arais/aseis	necesitado
habrían necesitado	necesit-aran/asen	

PAST PERFECT

hubiera necesitado
hubieras necesitado
hubiera necesitado
hubiéramos necesitado
hubierais necesitado
hubieran necesitado

IMPERATIVE

(tú) necesita
(Vd) necesite
(nosotros) necesitemos
(vosotros) necesitad
(Vds) necesiten

PRESENT PERFECT

haya necesitado etc
see page 100

NEGAR to deny

INDICATIVE

PRESENT	FUTURE	IMPERFECT
niego	negaré	negaba
niegas	negarás	negabas
niega	negará	negaba
negamos	negaremos	negábamos
negáis	negaréis	negabais
niegan	negarán	negaban

PRETERITE	PRESENT PERFECT	PAST PERFECT
negué	he negado	había negado
negaste	has negado	habías negado
negó	ha negado	había negado
negamos	hemos negado	habíamos negado
negasteis	habéis negado	habíais negado
negaron	han negado	habían negado

PRETERITE PERFECT	FUTURE PERFECT
hube negado etc	habré negado etc
see page 100	see page 100

CONDITIONAL	*SUBJUNCTIVE*	*PRESENT INFINITIVE*
PRESENT	**PRESENT**	
negaría	niegue	negar
negarías	niegues	
negaría	niegue	*PAST INFINITIVE*
negaríamos	neguemos	
negaríais	neguéis	haber negado
negarían	nieguen	

PERFECT	**IMPERFECT**	*PRESENT PARTICIPLE*
habría negado	neg-ara/ase	
habrías negado	neg-aras/ases	negando
habría negado	neg-ara/ase	
habríamos negado	neg-áramos/ásemos	*PAST PARTICIPLE*
habríais negado	neg-arais/aseis	
habrían negado	neg-aran/asen	negado

PAST PERFECT
hubiera negado
hubieras negado
hubiera negado
hubiéramos negado
hubierais negado
hubieran negado

IMPERATIVE
(tú) niega
(Vd) niegue
(nosotros) neguemos
(vosotros) negad
(Vds) nieguen

PRESENT PERFECT
haya negado etc
see page 100

INDICATIVE

PRESENT	FUTURE	IMPERFECT
nieva	nevará	nevaba

PRETERITE	PRESENT PERFECT	PAST PERFECT
nevó	ha nevado	había nevado

PRETERITE PERFECT	FUTURE PERFECT	
hubo nevado	habrá nevado	
see page 100	see page 100	

CONDITIONAL

PRESENT	SUBJUNCTIVE PRESENT	PRESENT INFINITIVE
		nevar
nevaría	nieve	PAST INFINITIVE
		haber nevado

PERFECT	IMPERFECT	PRESENT PARTICIPLE
		nevando
habría nevado	nev-ara/ase	PAST PARTICIPLE
		nevado

PAST PERFECT

hubiera nevado

IMPERATIVE

PRESENT PERFECT
haya nevado etc
see page 100

INDICATIVE

PRESENT	FUTURE	IMPERFECT
obligo	obligaré	obligaba
obligas	obligarás	obligabas
obliga	obligará	obligaba
obligamos	obligaremos	obligábamos
obligáis	obligaréis	obligabais
obligan	obligarán	obligaban

PRETERITE	PRESENT PERFECT	PAST PERFECT
obligué	he obligado	había obligado
obligaste	has obligado	habías obligado
obligó	ha obligado	había obligado
obligamos	hemos obligado	habíamos obligado
obligasteis	habéis obligado	habíais obligado
obligaron	han obligado	habían obligado

PRETERITE PERFECT	FUTURE PERFECT
hube obligado etc	habré obligado etc
see page 100	*see page 100*

CONDITIONAL

SUBJUNCTIVE

PRESENT	PRESENT	PRESENT INFINITIVE
obligaría	obligue	obligar
obligarías	obligues	
obligaría	obligue	PAST INFINITIVE
obligaríamos	obliguemos	haber obligado
obligaríais	obliguéis	
obligarían	obliguen	

PERFECT	IMPERFECT	PRESENT PARTICIPLE
habría obligado	oblig-ara/ase	obligando
habrías obligado	oblig-aras/ases	
habría obligado	oblig-ara/ase	PAST PARTICIPLE
habríamos obligado	oblig-áramos/ásemos	obligado
habríais obligado	oblig-arais/aseis	
habrían obligado	oblig-aran/asen	

PAST PERFECT

hubiera obligado
hubieras obligado
hubiera obligado
hubiéramos obligado
hubierais obligado
hubieran obligado

IMPERATIVE

(tú) obliga
(Vd) obligue
(nosotros) obliguemos
(vosotros) obligad
(Vds) obliguen

PRESENT PERFECT

haya obligado etc
see page 100

INDICATIVE

PRESENT	FUTURE	IMPERFECT
ofrezco	ofreceré	ofrecía
ofreces	ofrecerás	ofrecías
ofrece	ofrecerá	ofrecía
ofrecemos	ofreceremos	ofrecíamos
ofrecéis	ofreceréis	ofrecíais
ofrecen	ofrecerán	ofrecían

PRETERITE	PRESENT PERFECT	PAST PERFECT
ofrecí	he ofrecido	había ofrecido
ofreciste	has ofrecido	habías ofrecido
ofreció	ha ofrecido	había ofrecido
ofrecimos	hemos ofrecido	habíamos ofrecido
ofrecisteis	habéis ofrecido	habíais ofrecido
ofrecieron	han ofrecido	habían ofrecido

PRETERITE PERFECT	FUTURE PERFECT
hube ofrecido etc	habré ofrecido etc
see page 100	*see page 100*

CONDITIONAL

PRESENT		
ofrecería		
ofrecerías		
ofrecería		
ofreceríamos		
ofreceríais		
ofrecerían		

PERFECT

habría ofrecido
habrías ofrecido
habría ofrecido
habríamos ofrecido
habríais ofrecido
habrían ofrecido

SUBJUNCTIVE

PRESENT

ofrezca
ofrezcas
ofrezca
ofrezcamos
ofrezcáis
ofrezcan

IMPERFECT

ofrec-iera/iese
ofrec-ieras/ieses
ofrec-iera/iese
ofrec-iéramos/iésemos
ofrec-ierais/ieseis
ofrec-ieran/iesen

PAST PERFECT

hubiera ofrecido
hubieras ofrecido
hubiera ofrecido
hubiéramos ofrecido
hubierais ofrecido
hubieran ofrecido

PRESENT PERFECT

haya ofrecido etc
see page 100

IMPERATIVE

(tú) ofrece
(Vd) ofrezca
(nosotros) ofrezcamos
(vosotros) ofreced
(Vds) ofrezcan

PRESENT INFINITIVE

ofrecer

PAST INFINITIVE

haber ofrecido

PRESENT PARTICIPLE

ofreciendo

PAST PARTICIPLE

ofrecido

INDICATIVE

PRESENT	FUTURE	IMPERFECT
oigo	oiré	oía
oyes	oirás	oías
oye	oirá	oía
oímos	oiremos	oíamos
oís	oiréis	oíais
oyen	oirán	oían

PRETERITE	PRESENT PERFECT	PAST PERFECT
oí	he oído	había oído
oíste	has oído	habías oído
oyó	ha oído	había oído
oímos	hemos oído	habíamos oído
oisteis	habéis oído	habíais oído
oyeron	han oído	habían oído

PRETERITE PERFECT	FUTURE PERFECT
hube oído etc	habré oído etc
see page 100	see page 100

CONDITIONAL

PRESENT	SUBJUNCTIVE PRESENT	
oiría	oiga	**PRESENT INFINITIVE**
oirías	oigas	oír
oiría	oiga	
oiríamos	oigamos	**PAST INFINITIVE**
oiríais	oigáis	haber oído
oirían	oigan	

PERFECT	IMPERFECT	
habría oído	o-yera/yese	**PRESENT PARTICIPLE**
habrías oído	o-yeras/yeses	oyendo
habría oído	o-yera/yese	
habríamos oído	o-yéramos/yésemos	**PAST PARTICIPLE**
habríais oído	o-yerais/yeseis	oído
habrían oído	o-yeran/yesen	

PAST PERFECT
hubiera oído
hubieras oído
hubiera oído
hubiéramos oído
hubierais oído
hubieran oído

IMPERATIVE

(tú) oye
(Vd) oiga
(nosotros) oigamos
(vosotros) oíd
(Vds) oigan

PRESENT PERFECT
haya oído etc
see page 100

INDICATIVE

PRESENT	FUTURE	IMPERFECT
huelo	oleré	olía
hueles	olerás	olías
huele	olerá	olía
olemos	oleremos	olíamos
oléis	oleréis	olíais
huelen	olerán	olían

PRETERITE	PRESENT PERFECT	PAST PERFECT
olí	he olido	había olido
oliste	has olido	habías olido
olió	ha olido	había olido
olimos	hemos olido	habíamos olido
olisteis	habéis olido	habíais olido
olieron	han olido	habían olido

PRETERITE PERFECT	FUTURE PERFECT
hube olido etc	habré olido etc
see page 100	*see page 100*

CONDITIONAL

PRESENT		
olería		
olerías		
olería		
oleríamos		
oleríais		
olerían		

SUBJUNCTIVE

PRESENT
huela
huelas
huela
olamos
oláis
huelan

PRESENT INFINITIVE
oler

PAST INFINITIVE
haber olido

PERFECT	IMPERFECT
habría olido	ol-iera/iese
habrías olido	ol-ieras/ieses
habría olido	ol-iera/iese
habríamos olido	ol-iéramos/iésemos
habríais olido	ol-ierais/ieseis
habrían olido	ol-ieran/iesen

PRESENT PARTICIPLE
oliendo

PAST PARTICIPLE
olido

PAST PERFECT
hubiera olido
hubieras olido
hubiera olido
hubiéramos olido
hubierais olido
hubieran olido

IMPERATIVE

(tú) huele
(Vd) huela
(nosotros) olamos
(vosotros) oled
(Vds) huelan

PRESENT PERFECT
haya olido etc
see page 100

INDICATIVE

PRESENT	**FUTURE**	**IMPERFECT**
pago	pagaré	pagaba
pagas	pagarás	pagabas
paga	pagará	pagaba
pagamos	pagaremos	pagábamos
pagáis	pagaréis	pagabais
pagan	pagarán	pagaban

PRETERITE	**PRESENT PERFECT**	**PAST PERFECT**
pagué	he pagado	había pagado
pagaste	has pagado	habías pagado
pagó	ha pagado	había pagado
pagamos	hemos pagado	habíamos pagado
pagasteis	habéis pagado	habíais pagado
pagaron	han pagado	habían pagado

PRETERITE PERFECT	**FUTURE PERFECT**
hube pagado etc	habré pagado etc
see page 100	*see page 100*

CONDITIONAL

PRESENT	**SUBJUNCTIVE** **PRESENT**	*PRESENT INFINITIVE*
pagaría	pague	pagar
pagarías	pagues	
pagaría	pague	*PAST INFINITIVE*
pagaríamos	paguemos	haber pagado
pagaríais	paguéis	
pagarían	paguen	

PERFECT	**IMPERFECT**	*PRESENT PARTICIPLE*
habría pagado	pag-ara/ase	pagando
habrías pagado	pag-aras/ases	
habría pagado	pag-ara/ase	*PAST PARTICIPLE*
habríamos pagado	pag-áramos/ásemos	pagado
habríais pagado	pag-arais/aseis	
habrían pagado	pag-aran/asen	

PAST PERFECT

hubiera pagado
hubieras pagado
hubiera pagado
hubiéramos pagado
hubierais pagado
hubieran pagado

IMPERATIVE

(tú) paga
(Vd) pague
(nosotros) paguemos
(vosotros) pagad
(Vds) paguen

PRESENT PERFECT

haya pagado etc
see page 100

INDICATIVE

PRESENT	FUTURE	IMPERFECT
parezco	pareceré	parecía
pareces	parecerás	parecías
parece	parecerá	parecía
parecemos	pareceremos	parecíamos
parecéis	pareceréis	parecíais
parecen	parecerán	parecían

PRETERITE	PRESENT PERFECT	PAST PERFECT
parecí	he parecido	había parecido
pareciste	has parecido	habías parecido
pareció	ha parecido	había parecido
parecimos	hemos parecido	habíamos parecido
parecisteis	habéis parecido	habíais parecido
parecieron	han parecido	habían parecido

PRETERITE PERFECT	FUTURE PERFECT
hube parecido etc	habré parecido etc
see page 100	*see page 100*

CONDITIONAL

PRESENT	SUBJUNCTIVE PRESENT	
parecería	parezca	*PRESENT INFINITIVE*
parecerías	parezcas	parecer
parecería	parezca	
pareceríamos	parezcamos	*PAST INFINITIVE*
pareceríais	parezcáis	haber parecido
parecerían	parezcan	

PERFECT	IMPERFECT	
habría parecido	parec-iera/iese	*PRESENT PARTICIPLE*
habrías parecido	parec-ieras/ieses	pareciendo
habría parecido	parec-iera/iese	
habríamos parecido	parec-iéramos/iésemos	*PAST PARTICIPLE*
habríais parecido	parec-ierais/ieseis	parecido
habrían parecido	parec-ieran/iesen	

PAST PERFECT
hubiera parecido
hubieras parecido
hubiera parecido
hubiéramos parecido
hubierais parecido
hubieran parecido

IMPERATIVE
(tú) parece
(Vd) parezca
(nosotros) parezcamos
(vosotros) pareced
(Vds) parezcan

PRESENT PERFECT
haya parecido etc
see page 100

NOTES

1 MEANING

intransitive: to seem, to look like, to think
impersonal: it seems
reflexive: to look alike, to resemble

2 USAGE

intransitive:

el exámen parecía fácil	the exam seemed easy

*+ indirect object pronoun (**me, te, le, nos, os, les**) + **que**:*

le parece que vendrá	he thinks she'll come
me parece que no iré	I think I won't go

*+ adjective + **que** + subjunctive:*

me parece mal que mientas	I don't like you lying
¿te parece bien que vaya?	do you mind me going?

+ noun:

¡parezco un payaso!	I look like a clown!
su casa parece un palacio	her house looks like a palace

impersonal:

parece que va a llover	it seems that it'll rain
parece como si fuera ayer	it seems like yesterday

reflexive:

se parece mucho a su hermano	he looks a lot like his brother
no nos parecemos en nada	we don't look at all alike

3 PHRASES & IDIOMS

eso parece	so it seems
según parece	as it appears
¿te parece (bien)?	(is it) OK?
¿qué te parece?	what do you think?
haz lo que te parezca	do as you think fit, do as you wish
si te parece/si a Vd le parece	if you wish
aunque no lo parezca, es cierto	surprising as it may seem, it's true
parece ser que vendrá	it seems he'll come

INDICATIVE

PRESENT	FUTURE	IMPERFECT
paso	pasaré	pasaba
pasas	pasarás	pasabas
pasa	pasará	pasaba
pasamos	pasaremos	pasábamos
pasáis	pasaréis	pasabais
pasan	pasarán	pasaban

PRETERITE	PRESENT PERFECT	PAST PERFECT
pasé	he pasado	había pasado
pasaste	has pasado	habías pasado
pasó	ha pasado	había pasado
pasamos	hemos pasado	habíamos pasado
pasasteis	habéis pasado	habíais pasado
pasaron	han pasado	habían pasado

PRETERITE PERFECT	FUTURE PERFECT
hube pasado etc	habré pasado etc
see page 100	see page 100

CONDITIONAL	SUBJUNCTIVE	PRESENT
PRESENT	PRESENT	INFINITIVE
pasaría	pase	pasar
pasarías	pases	
pasaría	pase	PAST
pasaríamos	pasemos	INFINITIVE
pasaríais	paséis	haber pasado
pasarían	pasen	

PERFECT	IMPERFECT	PRESENT
habría pasado	pas-ara/ase	PARTICIPLE
habrías pasado	pas-aras/ases	pasando
habría pasado	pas-ara/ase	
habríamos pasado	pas-áramos/ásemos	PAST
habríais pasado	pas-arais/aseis	PARTICIPLE
habrían pasado	pas-aran/asen	pasado

PAST PERFECT
hubiera pasado
hubieras pasado
hubiera pasado
hubiéramos pasado
hubierais pasado
hubieran pasado

IMPERATIVE

(tú) pasa
(Vd) pase
(nosotros) pasemos
(vosotros) pasad
(Vds) pasen

PRESENT PERFECT
haya pasado etc
see page 100

NOTES

1 MEANING

to pass (an object), to spend (time), to happen

2 CONSTRUCTIONS

pasar a	to go into, to move into (a place)
pasar de ... a	to go from, to move from (one place) to (another)
pasar de	to exceed (a limit)
pasar por	to pass through, to go through (a place, a crisis)
pasarse de	to be too (clever, good)
pasarse sin	to do without (something)

3 USAGE

transitive:

le pasaron el mensaje	they passed him the message
ha pasado 2 días en Roma	he spent 2 days in Rome

intransitive:

el Sena pasa por París	the Seine runs through Paris
¿qué ha pasado?	what happened?

reflexive:

¡se ha pasado (de la raya)!	he's gone too far!

4 PHRASES & IDIOMS

lo pasé muy bien/mal	I had a good/bad time
¡pasa!/¡pase Vd!	come in!
podríamos pasar por su casa	we could drop in
¡cómo pasa el tiempo!	how time flies!
¿qué pasa?/¿pasa algo?	what's up, what's wrong?
pase lo que pase, dímelo	whatever happens, tell me
me pasa 10 centímetros	he's 10 cm taller than me
(se) ha pasado de moda	it's out of fashion
se ha pasado de listo	he's been too clever by half

INDICATIVE

PRESENT	FUTURE	IMPERFECT
pido	pediré	pedía
pides	pedirás	pedías
pide	pedirá	pedía
pedimos	pediremos	pedíamos
pedís	pediréis	pedíais
piden	pedirán	pedían

PRETERITE	PRESENT PERFECT	PAST PERFECT
pedí	he pedido	había pedido
pediste	has pedido	habías pedido
pidió	ha pedido	había pedido
pedimos	hemos pedido	habíamos pedido
pedisteis	habéis pedido	habíais pedido
pidieron	han pedido	habían pedido

PRETERITE PERFECT	FUTURE PERFECT
hube pedido etc	habré pedido etc
see page 100	*see page 100*

CONDITIONAL

PRESENT	SUBJUNCTIVE PRESENT	
pediría	pida	**PRESENT INFINITIVE**
pedirías	pidas	pedir
pediría	pida	
pediríamos	pidamos	**PAST INFINITIVE**
pediríais	pidáis	haber pedido
pedirían	pidan	

PERFECT	IMPERFECT	
habría pedido	pid-iera/iese	**PRESENT PARTICIPLE**
habrías pedido	pid-ieras/ieses	pidiendo
habría pedido	pid-iera/iese	
habríamos pedido	pid-iéramos/iésemos	**PAST PARTICIPLE**
habríais pedido	pid-ierais/ieseis	pedido
habrían pedido	pid-ieran/iesen	

PAST PERFECT

hubiera pedido
hubieras pedido
hubiera pedido
hubiéramos pedido
hubierais pedido
hubieran pedido

IMPERATIVE

(tú) pide
(Vd) pida
(nosotros) pidamos
(vosotros) pedid
(Vds) pidan

PRESENT PERFECT

haya pedido etc
see page 100

NOTES

1 MEANING

to ask for, to order *(food, goods)*

2 CONSTRUCTIONS

pedir (algo) a (alguien)   to ask somebody for *(something)*
pedir (algo) por (algo)   to ask *(something eg a price)* for *(something)*

3 USAGE

transitive:
le pedí cien pesetas   I asked him for 100 pesetas
¿cuánto pedís por el piso?   how much are you asking for the flat?

que + subjunctive:
me pidió que lo hiciera   she asked me to do it
les pedimos que vinieran   we asked them to come

4 PHRASES & IDIOMS

¿podría pedir hora?   could I make an appointment? *(at the doctor's, the hairdresser's etc)*

¿han pedido ya?   have you ordered yet? *(in restaurant)*
he pedido una beca   I've applied for a scholarship
pidió perdón   he said he was sorry
por pedir que no quede   there's no harm in asking

INDICATIVE

PRESENT	FUTURE	IMPERFECT
pego	pegaré	pegaba
pegas	pegarás	pegabas
pega	pegará	pegaba
pegamos	pegaremos	pegábamos
pegáis	pegaréis	pegabais
pegan	pegarán	pegaban

PRETERITE	PRESENT PERFECT	PAST PERFECT
pegué	he pegado	había pegado
pegaste	has pegado	habías pegado
pegó	ha pegado	había pegado
pegamos	hemos pegado	habíamos pegado
pegasteis	habéis pegado	habíais pegado
pegaron	han pegado	habían pegado

PRETERITE PERFECT	FUTURE PERFECT
hube pegado etc	habré pegado etc
see page 100	see page 100

CONDITIONAL

PRESENT		
pegaría		
pegarías		
pegaría		
pegaríamos		
pegaríais		
pegarían		

PERFECT

habría pegado
habrías pegado
habría pegado
habríamos pegado
habríais pegado
habrían pegado

SUBJUNCTIVE

PRESENT

pegue
pegues
pegue
peguemos
peguéis
peguen

IMPERFECT

peg-ara/ase
peg-aras/ases
peg-ara/ase
peg-áramos/ásemos
peg-arais/aseis
peg-aran/asen

PAST PERFECT

hubiera pegado
hubieras pegado
hubiera pegado
hubiéramos pegado
hubierais pegado
hubieran pegado

PRESENT PERFECT

haya pegado etc
see page 100

IMPERATIVE

(tú) pega
(Vd) pegue
(nosotros) peguemos
(vosotros) pegad
(Vds) peguen

PRESENT INFINITIVE

pegar

PAST INFINITIVE

haber pegado

PRESENT PARTICIPLE

pegando

PAST PARTICIPLE

pegado

INDICATIVE

PRESENT	FUTURE	IMPERFECT
pienso	pensaré	pensaba
piensas	pensarás	pensabas
piensa	pensará	pensaba
pensamos	pensaremos	pensábamos
pensáis	pensaréis	pensabais
piensan	pensarán	pensaban

PRETERITE	PRESENT PERFECT	PAST PERFECT
pensé	he pensado	había pensado
pensaste	has pensado	habías pensado
pensó	ha pensado	había pensado
pensamos	hemos pensado	habíamos pensado
pensasteis	habéis pensado	habíais pensado
pensaron	han pensado	habían pensado

PRETERITE PERFECT
hube pensado etc
see page 100

FUTURE PERFECT
see page 100

CONDITIONAL

PRESENT	
pensaría	
pensarías	
pensaría	
pensaríamos	
pensaríais	
pensarían	

PERFECT
habría pensado
habrías pensado
habría pensado
habríamos pensado
habríais pensado
habrían pensado

SUBJUNCTIVE

PRESENT
piense
pienses
piense
pensemos
penséis
piensen

IMPERFECT
pens-ara/ase
pens-aras/ases
pens-ara/ase
pens-áramos/ásemos
pens-arais/aseis
pens-aran/asen

PAST PERFECT
hubiera pensado
hubieras pensado
hubiera pensado
hubiéramos pensado
hubierais pensado
hubieran pensado

PRESENT PERFECT
haya pensado etc
see page 100

PRESENT INFINITIVE
pensar

PAST INFINITIVE
haber pensado

PRESENT PARTICIPLE
pensando

PAST PARTICIPLE
pensado

IMPERATIVE

(tú) piensa
(Vd) piense
(nosotros) pensemos
(vosotros) pensad
(Vds) piensen

PERDER to lose

INDICATIVE

PRESENT	FUTURE	IMPERFECT
pierdo	perderé	perdía
pierdes	perderás	perdías
pierde	perderá	perdía
perdemos	perderemos	perdíamos
perdéis	perderéis	perdíais
pierden	perderán	perdían

PRETERITE	PRESENT PERFECT	PAST PERFECT
perdí	he perdido	había perdido
perdiste	has perdido	habías perdido
perdió	ha perdido	había perdido
perdimos	hemos perdido	habíamos perdido
perdisteis	habéis perdido	habíais perdido
perdieron	han perdido	habían perdido

PRETERITE PERFECT
hube perdido etc
see page 100

FUTURE PERFECT
habré perdido etc
see page 100

CONDITIONAL

PRESENT		PRESENT INFINITIVE
perdería		perder
perderías		
perdería		PAST INFINITIVE
perderíamos		haber perdido
perderíais		
perderían		

SUBJUNCTIVE

PRESENT
pierda
pierdas
pierda
perdamos
perdáis
pierdan

PERFECT

		PRESENT PARTICIPLE
habría perdido		perdiendo
habrías perdido		
habría perdido		PAST PARTICIPLE
habríamos perdido		perdido
habríais perdido		
habrían perdido		

IMPERFECT
perd-iera/iese
perd-ieras/ieses
perd-iera/iese
perd-iéramos/iésemos
perd-ierais/ieseis
perd-ieran/iesen

PAST PERFECT
hubiera perdido
hubieras perdido
hubiera perdido
hubiéramos perdido
hubierais perdido
hubieran perdido

IMPERATIVE

(tú) pierde
(Vd) pierda
(nosotros) perdamos
(vosotros) perded
(Vds) pierdan

PRESENT PERFECT
haya perdido etc
see page 100

PERTENECER to belong

INDICATIVE

PRESENT	FUTURE	IMPERFECT
pertenezco	perteneceré	pertenecía
perteneces	pertenecerás	pertenecías
pertenece	pertenecerá	pertenecía
pertenecemos	perteneceremos	pertenecíamos
pertenecéis	pertenecería	pertenecíais
pertenecen	pertenecerán	pertenecían

PRETERITE	PRESENT PERFECT	PAST PERFECT
pertenecí	he pertenecido	había pertenecido
perteneciste	has pertenecido	habías pertenecido
perteneció	ha pertenecido	había pertenecido
pertenecimos	hemos pertenecido	habíamos pertenecido
pertenecisteis	habéis pertenecido	habíais pertenecido
pertenecieron	han pertenecido	habían pertenecido

PRETERITE PERFECT	FUTURE PERFECT
hube pertenecido etc	habré pertenecido etc
see page 100	see page 100

CONDITIONAL	SUBJUNCTIVE	PRESENT INFINITIVE
PRESENT	**PRESENT**	pertenecer
pertenecería	pertenezca	
pertenecerías	pertenezcas	**PAST INFINITIVE**
pertenecería	pertenezca	haber pertenecido
perteneceríamos	pertenezcamos	
perteneceríais	pertenezcáis	
pertenecerían	pertenezcan	

PERFECT	**IMPERFECT**	**PRESENT PARTICIPLE**
habría pertenecido	pertenec-iera/iese	perteneciendo
habrías pertenecido	pertenec-ieras/ieses	
habría pertenecido	pertenec-iera/iese	**PAST PARTICIPLE**
habríamos pertenecido	pertenec-iéramos/iésemos	pertenecido
habríais pertenecido	pertenec-ierais/ieseis	
habrían pertenecido	pertenec-ieran/iesen	

PAST PERFECT
hubiera pertenecido
hubieras pertenecido
hubiera pertenecido
hubiéramos pertenecido
hubierais pertenecido
hubieran pertenecido

IMPERATIVE

(tú) pertenece
(Vd) pertenezca
(nosotros) pertenezcamos
(vosotros) perteneced
(Vds) pertenezcan

PRESENT PERFECT
haya pertenecido etc
see page 100

INDICATIVE

PRESENT
puedo
puedes
puede
podemos
podéis
pueden

FUTURE
podré
podrás
podrá
podremos
podréis
podrán

IMPERFECT
podía
podías
podía
podíamos
podíais
podían

PRETERITE
pude
pudiste
pudo
pudimos
pudisteis
pudieron

PRESENT PERFECT
he podido
has podido
ha podido
hemos podido
habéis podido
han podido

PAST PERFECT
había podido
habías podido
había podido
habíamos podido
habíais podido
habían podido

PRETERITE PERFECT
hube podido etc
see page 100

FUTURE PERFECT
habré podido etc
see page 100

CONDITIONAL

PRESENT
podría
podrías
podría
podríamos
podríais
podrían

PERFECT
habría podido
habrías podido
habría podido
habríamos podido
habríais podido
habrían podido

SUBJUNCTIVE

PRESENT
pueda
puedas
pueda
podamos
podáis
puedan

IMPERFECT
pud-iera/iese
pud-ieras/ieses
pud-iera/iese
pud-iéramos/iésemos
pud-ierais/ieseis
pud-ieran/iesen

PAST PERFECT
hubiera podido
hubieras podido
hubiera podido
hubiéramos podido
hubierais podido
hubieran podido

PRESENT PERFECT
haya podido etc
see page 100

PRESENT INFINITIVE
poder

PAST INFINITIVE
haber podido

PRESENT PARTICIPLE
pudiendo

PAST PARTICIPLE
podido

IMPERATIVE

(tú) puedas
(Vd) pueda
(nosotros) podamos
(vosotros) poded
(Vds) puedan

NOTES

1 MEANING

to be able to, can
to be possible, may

2 USAGE

auxiliary + infinitive:

(no) puedo esperar	I can(not) wait
pudimos hablar con él	we were able to speak to him
pod(r)ías haberlo dicho	you could have said so
¿puedo/podría sentarme?	may/could I sit down?
¿puede/podría ayudarme?	can/could you help me?

+ que + subjunctive:

puede que llamen	they may phone
puede ser que insista	she may insist
podría ser que viniera	he might come

intransitive;

no puedo más	I can't go on any longer
¿puedes con la bolsa?	can you manage with the bag?

3 PHRASES & IDIOMS

puede (ser)	maybe, perhaps
¡no puede ser!	it's impossible!
no puedo con ella	I can't stand her
haré lo que pueda	I'll do what I can
¿se puede (pasar)?	may I (come in)?

INDICATIVE

PRESENT	FUTURE	IMPERFECT
pongo	pondré	ponía
pones	pondrás	ponías
pone	pondrá	ponía
ponemos	pondremos	poníamos
ponéis	pondréis	poníais
ponen	pondrán	ponían

PRETERITE	PRESENT PERFECT	PAST PERFECT
puse	he puesto	había puesto
pusiste	has puesto	habías puesto
puso	ha puesto	había puesto
pusimos	hemos puesto	habíamos puesto
pusisteis	habéis puesto	habíais puesto
pusieron	han puesto	habían puesto

PRETERITE PERFECT	FUTURE PERFECT
hube puesto etc	habré puesto etc
see *page 100*	see *page 100*

CONDITIONAL

PRESENT	SUBJUNCTIVE PRESENT	PRESENT INFINITIVE
pondría	ponga	poner
pondrías	pongas	
pondría	ponga	PAST INFINITIVE
pondríamos	pongamos	haber puesto
pondríais	pongáis	
pondrían	pongan	

PERFECT	IMPERFECT	PRESENT PARTICIPLE
habría puesto	pus-iera/iese	poniendo
habrías puesto	pus-ieras/ieses	
habría puesto	pus-iera/iese	PAST PARTICIPLE
habríamos puesto	pus-iéramos/iésemos	puesto
habríais puesto	pus-ierais/ieseis	
habrían puesto	pus-ieran/iesen	

PAST PERFECT

hubiera puesto
hubieras puesto
hubiera puesto
hubiéramos puesto
hubierais puesto
hubieran puesto

IMPERATIVE

(tú) pon
(Vd) ponga
(nosotros) pongamos
(vosotros) poned
(Vds) pongan

PRESENT PERFECT

haya puesto etc
see *page 100*

NOTES

1 MEANING

transitive: to put, to lay *(the table, an egg)*, to switch on *(the radio, etc)*, to put on *(a play, a film)*

reflexive: to move *(oneself somewhere)*, to put on *(clothes)*, to become *(ill, hysterical etc)*

2 USAGE

transitive:

pon la mesa, por favor	please lay the table
¿dónde lo pongo?	where shall I put it?

reflexive:

nos pusimos a su lado	we went and stood next to him
ponte el sombrero	put on your hat

+ adjective:

se puso muy triste	she got very depressed
pronto te pondrás bien	you'll get well soon

+ a + infinitive:

de repente se puso a llorar	suddenly he started to cry
cuando acabe la carrera, me pondré a trabajar	when I finish my degree, I'll start working

3 PHRASES & IDIOMS

¿qué ponen por la tele/en el cine?	what's on TV/on at the movie theater?
¿pongo música/un disco?	shall I put some music/a record on?
¿me pone con el Sr. Ruiz?	may I speak to Mr Ruiz?
ahora le pongo	I'll put you through
ahora se pone	you're through, here he is
ponte de pie/ponte de recto	stand up/stand up straight
ponte boca arriba/boca abajo	lie face up/face down
se puso rojo/colorado	he blushed
se pusieron enfermos	they got ill
la pusimos verde	we criticized her
le puso cuernos	she two-timed him

POSEER to possess

INDICATIVE

PRESENT	**FUTURE**	**IMPERFECT**
poseo	poseeré	poseía
posees	poseerás	poseías
posee	poseerá	poseía
poseemos	poseeremos	poseíamos
poseéis	poseeréis	poseíais
poseen	poseerán	poseían

PRETERITE	**PRESENT PERFECT**	**PAST PERFECT**
poseí	he poseído	había poseído
poseíste	has poseído	habías poseído
poseyó	ha poseído	había poseído
poseímos	hemos poseído	habíamos poseído
poseísteis	habéis poseído	habíais poseído
poseyeron	han poseído	habían poseído

PRETERITE PERFECT	**FUTURE PERFECT**
hube poseído etc	habré poseído etc
see page 100	*see page 100*

CONDITIONAL

PRESENT	**SUBJUNCTIVE** PRESENT	*PRESENT INFINITIVE*
poseería	posea	poseer
poseerías	poseas	
poseería	posea	*PAST INFINITIVE*
poseeríamos	poseamos	haber poseído
poseeríais	poseáis	
poseerían	posean	

PERFECT	**IMPERFECT**	*PRESENT PARTICIPLE*
habría poseído	pose-yera/yese	poseyendo
habrías poseído	pose-yeras/yeses	
habría poseído	pose-yera/yese	*PAST PARTICIPLE*
habríamos poseído	pose-yéramos/yésemos	poseído
habríais poseído	pose-yerais/yeseis	
habrían poseído	pose-yeran/yesen	

PAST PERFECT

hubiera poseído
hubieras poseído
hubiera poseído
hubiéramos poseído
hubierais poseído
hubieran poseído

IMPERATIVE

(tú) posee
(Vd) posea
(nosotros) poseamos
(vosotros) poseed
(Vds) posean

PRESENT PERFECT

haya poseído etc
see page 100

PREDECIR to foretell | 145

INDICATIVE

PRESENT	FUTURE	IMPERFECT
predigo	prediciré	predecía
predices	predicirás	predecías
predice	predicirá	predecía
predecimos	prediciremos	predecíamos
predecís	prediciréis	predecíais
predicen	predicirán	predecían

PRETERITE	PRESENT PERFECT	PAST PERFECT
predije	he predicho	había predicho
predijiste	has predicho	habías predicho
predijo	ha predicho	había predicho
predijimos	hemos predicho	habíamos predicho
predijisteis	habéis predicho	habíais predicho
predijeron	han predicho	habían predicho

PRETERITE PERFECT	FUTURE PERFECT
hube predicho etc	habré predicho etc
see page 100	see page 100

CONDITIONAL

PRESENT	
predeciría	
predecirías	
predeciría	
predeciríamos	
predeciríais	
predecirían	

PERFECT

habría predicho
habrías predicho
habría predicho
habríamos predicho
habríais predicho
habrían predicho

IMPERATIVE

(tú) predice
(Vd) prediga
(nosotros) predigamos
(vosotros) predecid
(Vds) predigan

SUBJUNCTIVE

PRESENT

prediga
predigas
prediga
predigamos
predigáis
predigan

IMPERFECT

predij-era/ese
predij-eras/eses
predij-era/ese
predij-éramos/ésemos
predij-erais/eseis
predij-eran/esen

PAST PERFECT

hubiera predicho
hubieras predicho
hubiera predicho
hubiéramos predicho
hubierais predicho
hubieran predicho

PRESENT PERFECT

haya predicho etc
see page 100

PRESENT INFINITIVE

predecir

PAST INFINITIVE

haber predicho

PRESENT PARTICIPLE

prediciendo

PAST PARTICIPLE

predicho

INDICATIVE

PRESENT	FUTURE	IMPERFECT
prefiero	preferiré	prefería
prefieres	preferirás	preferías
prefiere	preferirá	prefería
preferimos	preferiremos	preferíamos
preferís	preferiréis	preferíais
prefieren	preferirán	preferían

PRETERITE	PRESENT PERFECT	PAST PERFECT
preferí	he preferido	había preferido
preferiste	has preferido	habías preferido
prefirió	ha preferido	había preferido
preferimos	hemos preferido	habíamos preferido
preferisteis	habéis preferido	habíais preferido
prefirieron	han preferido	habían preferido

PRETERITE PERFECT	FUTURE PERFECT
hube preferido etc	habré preferido etc
see page 100	see page 100

CONDITIONAL	SUBJUNCTIVE	PRESENT
PRESENT	PRESENT	INFINITIVE
preferiría	prefiera	preferir
preferirías	prefieras	
preferiría	prefiera	PAST
preferiríamos	prefiramos	INFINITIVE
preferiríais	prefiráis	haber preferido
preferirían	prefieran	

PERFECT	IMPERFECT	PRESENT
habría preferido	prefir-iera/iese	PARTICIPLE
habrías preferido	prefir-ieras/ieses	prefiriendo
habría preferido	prefir-iera/iese	
habríamos preferido	prefir-iéramos/iésemos	PAST
habríais preferido	prefir-ierais/ieseis	PARTICIPLE
habrían preferido	prefir-ieran/iesen	preferido

PAST PERFECT

hubiera preferido
hubieras preferido
hubiera preferido
hubiéramos preferido
hubierais preferido
hubieran preferido

IMPERATIVE

(tú) prefiere
(Vd) prefiera
(nosotros) prefiramos
(vosotros) preferid
(Vds) prefieran

PRESENT PERFECT

haya preferido etc
see page 100

INDICATIVE

PRESENT	**FUTURE**	**IMPERFECT**
pruebo	probaré	probaba
pruebas	probarás	probabas
prueba	probará	probaba
probamos	probaremos	probábamos
probáis	probaréis	probabais
prueban	probarán	probaban

PRETERITE	**PRESENT PERFECT**	**PAST PERFECT**
probé	he probado	había probado
probaste	has probado	habías probado
probó	ha probado	había probado
probamos	hemos probado	habíamos probado
probasteis	habéis probado	habíais probado
probaron	han probado	habían probado

PRETERITE PERFECT	**FUTURE PERFECT**
hube probado etc	habré probado etc
see page 100	*see page 100*

CONDITIONAL	*SUBJUNCTIVE*	*PRESENT*
PRESENT	**PRESENT**	*INFINITIVE*
probaría	pruebe	probar
probarías	pruebes	
probaría	pruebe	*PAST*
probaríamos	probemos	*INFINITIVE*
probaríais	probéis	haber probado
probarían	prueben	

PERFECT	**IMPERFECT**	*PRESENT*
habría probado	prob-ara/ase	*PARTICIPLE*
habrías probado	prob-aras/ases	probando
habría probado	prob-ara/ase	
habríamos probado	prob-áramos/ásemos	*PAST*
habríais probado	prob-arais/aseis	*PARTICIPLE*
habrían probado	prob-aran/asen	probado

PAST PERFECT
hubiera probado
hubieras probado
hubiera probado
hubiéramos probado
hubierais probado
hubieran probado

IMPERATIVE
(tú) prueba
(Vd) pruebe
(nosotros) probemos
(vosotros) probad
(Vds) prueben

PRESENT PERFECT
haya probado etc
see page 100

PRODUCIR to produce

INDICATIVE

PRESENT	**FUTURE**	**IMPERFECT**
produzco	produciré	producía
produces	producirás	producías
produce	producirá	producía
producimos	produciremos	producíamos
producís	produciréis	producíais
producen	producirán	producían

PRETERITE	**PRESENT PERFECT**	**PAST PERFECT**
produje	he producido	había producido
produjiste	has producido	habías producido
produjo	ha producido	había producido
produjimos	hemos producido	habíamos producido
produjisteis	habéis producido	habíais producido
produjeron	han producido	habían producido

PRETERITE PERFECT	**FUTURE PERFECT**
hube producido etc	habré producido etc
see page 100	*see page 100*

CONDITIONAL

PRESENT	**SUBJUNCTIVE** PRESENT	*PRESENT INFINITIVE*
produciría	produzca	producir
producirías	produzcas	
produciría	produzca	*PAST INFINITIVE*
produciríamos	produzcamos	haber producido
produciríais	produzcáis	
producirían	produzcan	

PERFECT	**IMPERFECT**	*PRESENT PARTICIPLE*
habría producido	produj-era/ese	produciendo
habrías producido	produj-eras/eses	
habría producido	produj-era/ese	*PAST PARTICIPLE*
habríamos producido	produj-éramos/ésemos	producido
habríais producido	produj-erais/eseis	
habrían producido	produj-eran/esen	

PAST PERFECT

hubiera producido
hubieras producido
hubiera producido
hubiéramos producido
hubierais producido
hubieran producido

IMPERATIVE

(tú) produce
(Vd) produzca
(nosotros) produzcamos
(vosotros) producid
(Vds) produzcan

PRESENT PERFECT

haya producido etc
see page 100

PROHIBIR to forbid

INDICATIVE

PRESENT	FUTURE	IMPERFECT
prohíbo	prohibiré	prohibía
prohíbes	prohibirás	prohibías
prohíbe	prohibirá	prohibía
prohibimos	prohibiremos	prohibíamos
prohibís	prohibiréis	prohibíais
prohíben	prohibirán	prohibían

PRETERITE	PRESENT PERFECT	PAST PERFECT
prohibí	he prohibido	había prohibido
prohibiste	has prohibido	habías prohibido
prohibió	ha prohibido	había prohibido
prohibimos	hemos prohibido	habíamos prohibido
prohibisteis	habéis prohibido	habíais prohibido
prohibieron	han prohibido	habían prohibido

PRETERITE PERFECT	FUTURE PERFECT
hube prohibido etc	habré prohibido etc
see page 100	see page 100

CONDITIONAL

SUBJUNCTIVE

PRESENT	PRESENT	PRESENT INFINITIVE
prohibiría	prohíba	prohibir
prohibirías	prohíbas	
prohibiría	prohíba	PAST INFINITIVE
prohibiríamos	prohibamos	haber prohibido
prohibiríais	prohibáis	
prohibirían	prohíban	

PERFECT	IMPERFECT	PRESENT PARTICIPLE
habría prohibido	prohib-iera/iese	prohibiendo
habrías prohibido	prohib-ieras/ieses	
habría prohibido	prohib-iera/iese	PAST PARTICIPLE
habríamos prohibido	prohib-iéramos/iésemos	prohibido
habríais prohibido	prohib-ierais/ieseis	
habrían prohibido	prohib-ieran/iesen	

PAST PERFECT
hubiera prohibido
hubieras prohibido
hubiera prohibido
hubiéramos prohibido
hubierais prohibido
hubieran prohibido

IMPERATIVE

(tú) prohíbe
(Vd) prohíba
(nosotros) prohibamos
(vosotros) prohibid
(Vds) prohíban

PRESENT PERFECT
haya prohibido etc
see page 100

INDICATIVE

PRESENT	FUTURE	IMPERFECT
protejo	protegeré	protegía
proteges	protegerás	protegías
protege	protegerá	protegía
protegemos	protegeremos	protegíamos
protegéis	protegeréis	protegíais
protegen	protegerán	protegían

PRETERITE	PRESENT PERFECT	PAST PERFECT
protegí	he protegido	había protegido
protegiste	has protegido	habías protegido
protegió	ha protegido	había protegido
protegimos	hemos protegido	habíamos protegido
protegisteis	habéis protegido	habíais protegido
protegieron	han protegido	habían protegido

PRETERITE PERFECT	FUTURE PERFECT
hube protegido etc	habré protegido
see *page 100*	see *page 100*

CONDITIONAL	SUBJUNCTIVE	
PRESENT	PRESENT	**PRESENT INFINITIVE**
protegería	proteja	proteger
protegerías	protejas	
protegería	proteja	**PAST INFINITIVE**
protegeríamos	protejamos	haber protegido
protegeríais	protejáis	
protegerían	protejan	

PERFECT	IMPERFECT	
habría protegido	proteg-iera/iese	**PRESENT PARTICIPLE**
habrías protegido	proteg-ieras/ieses	protegiendo
habría protegido	proteg-iera/iese	
habríamos protegido	proteg-iéramos/iésemos	**PAST PARTICIPLE**
habríais protegido	proteg-ierais/ieseis	protegido
habrían protegido	proteg-ieran/iesen	

PAST PERFECT
hubiera protegido
hubieras protegido
hubiera protegido
hubiéramos protegido
hubierais protegido
hubieran protegido

IMPERATIVE

(tú) protege
(Vd) proteja
(nosotros) protejamos
(vosotros) proteged
(Vds) protejan

PRESENT PERFECT
haya protegido etc
see *page 100*

INDICATIVE

PRESENT	FUTURE	IMPERFECT
pudro	pudriré	pudría
pudres	pudrirás	pudrías
pudre	pudrirá	pudría
pudrimos	pudriremos	pudríamos
pudris	pudriréis	pudríais
pudren	pudrirán	pudrían

PRETERITE	PRESENT PERFECT	PAST PERFECT
pudrí	he podrido	había podrido
pudriste	has podrido	habías podrido
pudrió	ha podrido	había podrido
pudrimos	hemos podrido	habíamos podrido
pudristeis	habéis podrido	habíais podrido
pudrieron	han podrido	habían podrido

PRETERITE PERFECT	FUTURE PERFECT
hube podrido etc	habré podrido etc
see page 100	see page 100

CONDITIONAL

PRESENT	SUBJUNCTIVE PRESENT	PRESENT INFINITIVE
pudriría	pudra	pudrir
pudrirías	pudras	
pudriría	pudra	PAST INFINITIVE
pudriríamos	pudramos	haber podrido
pudriríais	pudráis	
pudrirían	pudran	

PERFECT	IMPERFECT	PRESENT PARTICIPLE
habría podrido	pudr-iera/iese	pudriendo
habrías podrido	pudr-ieras/ieses	
habría podrido	pudr-iera/iese	PAST PARTICIPLE
habríamos podrido	pudr-iéramos/iésemos	podrido
habríais podrido	pudr-ierais/ieseis	
habrían podrido	pudr-ieran/iesen	

PAST PERFECT

hubiera podrido
hubieras podrido
hubiera podrido
hubiéramos podrido
hubierais podrido
hubieran podrido

IMPERATIVE

(tú) pudre
(Vd) pudra
(nosotros) pudramos
(vosotros) pudrid
(Vds) pudran

PRESENT PERFECT

haya podrido etc
see page 100

INDICATIVE

PRESENT	FUTURE	IMPERFECT
quedo	quedaré	quedaba
quedas	quedarás	quedabas
queda	quedará	quedaba
quedamos	quedaremos	quedábamos
quedáis	quedaréis	quedabais
quedan	quedarán	quedaban

PRETERITE	PRESENT PERFECT	PAST PERFECT
quedé	he quedado	había quedado
quedaste	has quedado	habías quedado
quedó	ha quedado	había quedado
quedamos	hemos quedado	habíamos quedado
quedasteis	habéis quedado	habíais quedado
quedaron	han quedado	habían quedado

PRETERITE PERFECT	FUTURE PERFECT
hube quedado etc	habré quedado etc
see page 100	*see page 100*

CONDITIONAL	SUBJUNCTIVE	PRESENT
PRESENT	PRESENT	INFINITIVE
quedaría	quede	quedar
quedarías	quedes	
quedaría	quede	PAST
quedaríamos	quedemos	INFINITIVE
quedaríais	quedéis	haber quedado
quedarían	queden	

PERFECT	IMPERFECT	PRESENT
habría quedado	qued-ara/ase	PARTICIPLE
habrías quedado	qued-aras/ases	quedando
habría quedado	qued-ara/ase	
habríamos quedado	qued-áramos/ásemos	PAST
habríais quedado	qued-arais/aseis	PARTICIPLE
habrían quedado	qued-aran/asen	quedado

PAST PERFECT
hubiera quedado
hubieras quedado
hubiera quedado
hubiéramos quedado
hubierais quedado
hubieran quedado

IMPERATIVE

(tú) queda
(Vd) quede
(nosotros) quedemos
(vosotros) quedad
(Vds) queden

PRESENT PERFECT
haya quedado etc
see page 100

NOTES

1 MEANING

intransitive: to remain, to be left; *reflexive:* to stay

2 CONSTRUCTIONS

quedar a	to be at *(a distance)*, to be to *(the left)*
quedar con	to arrange to meet *(somebody)*
quedarse con	to keep *(an object, the change)*
quedarse sin	to run out of *(food, gas, money, etc)*
quedar para	to meet and do *(something)*

3 USAGE

intransitive:
+ adjective or + preposition:

quedó perfecto	it came out perfect
queda cerca	it's near
queda a 10 km	it's 10 km away
quedan 2 cigarillos	there are 2 cigarettes left
queda un mes para Navidad	there is one month to go till Christmas

+ bien/mal + (con):

has quedado muy mal (con él)	you've made a bad impression (on him)

+ con

he quedado con Raúl a las 5	I've arranged to meet Raúl at 5

reflexive:

se quedaron en un hotel	they stayed at a hotel
nos quedamos sin gasolina/ **no nos quedaba gasolina**	we ran out of gas
me quedo con estos pantalones	I'll take these pants

+ present participle:

me quedé viendo la tele	I stayed and watched TV

4 PHRASES & IDIOMS

¿cómo quedamos?	what is the arrangement?
¿cuándo/dónde quedamos?	where/when shall we meet?
¿en qué quedamos?	what's it to be?
aún queda mucho por hacer	there's still a lot left to do
este vestido me queda mal	this dress doesn't suit me
este vestido me queda grande	this dress is too big for me
quédese (con) el cambio	keep the change

QUERER to love, to want

INDICATIVE

PRESENT	**FUTURE**	**IMPERFECT**
quiero	querré	quería
quieres	querrás	querías
quiere	querrá	quería
queremos	querremos	queríamos
queréis	querréis	queríais
quieren	querrán	querían

PRETERITE	**PRESENT PERFECT**	**PAST PERFECT**
quise	he querido	había querido
quisiste	has querido	habías querido
quiso	ha querido	había querido
quisimos	hemos querido	habíamos querido
quisisteis	habéis querido	habíais querido
quisieron	han querido	habían querido

PRETERITE PERFECT	**FUTURE PERFECT**
hube querido etc	habré querido etc
see page 100	*see page 100*

CONDITIONAL   *SUBJUNCTIVE*

PRESENT	**PRESENT**	*PRESENT INFINITIVE*
querría	quiera	querer
querrías	quieras	
querría	quiera	*PAST INFINITIVE*
querríamos	queramos	haber querido
querríais	queráis	
querrían	quieran	

PERFECT	**IMPERFECT**	*PRESENT PARTICIPLE*
habría querido	quis-iera/iese	queriendo
habrías querido	quis-ieras/ieses	
habría querido	quis-iera/iese	*PAST PARTICIPLE*
habríamos querido	quis-iéramos/iésemos	querido
habríais querido	quis-ierais/ieseis	
habrían querido	quer-ieran/iesen	

PAST PERFECT

hubiera querido
hubieras querido
hubiera querido
hubiéramos querido
hubierais querido
hubieran querido

IMPERATIVE

(tú) quiere
(Vd) quiera
(nosotros) queramos
(vosotros) quered
(Vds) quieran

PRESENT PERFECT

haya querido etc
see page 100

NOTES

1 MEANING

to want, to wish, to like *(something, to do something)*
to love *(people)*

2 USAGE

transitive:

queremos un aumento	we want a rise (in salary)
¿quieres vino?	would you like some wine?
quiero a Miguel y él me me quiere a mí	I love Miguel and he loves me

+ infinitive:

no quiero ir	I don't want to go
quisieron volver	they wanted to go back
querría hablar con José	I'd like to speak to José

+ que + subjunctive:

él quiere que vaya	he wants me to go
queremos que os quedéis	we want you to stay

reflexive:

se quieren muchísimo	they love each other a lot

3 PHRASES & IDIOMS

te quiero	I love you
¿qué quiere/quería?	what would you like?
¿cuál quiere?	which one would you like?
¿quiere(s) más?	would you like some more?
haz lo que quieras	do as you wish
ha sido sin querer	it was not deliberate
ha sido queriendo	it was deliberate
¿qué más quieres?	what more could you want?
¡qué más quisiera (yo)!	if only!, if only I could!

INDICATIVE

PRESENT	FUTURE	IMPERFECT
realizo	realizaré	realizaba
realizas	realizarás	realizabas
realiza	realizará	realizaba
realizamos	realizaremos	realizábamos
realizáis	realizaréis	realizabais
realizan	realizarán	realizaban

PRETERITE	PRESENT PERFECT	PAST PERFECT
realicé	he realizado	había realizado
realizaste	has realizado	habías realizado
realizó	ha realizado	había realizado
realizamos	hemos realizado	habíamos realizado
realizasteis	habéis realizado	habíais realizado
realizaron	han realizado	habían realizado

PRETERITE PERFECT
hube realizado etc
see page 100

FUTURE PERFECT
habré realizado etc
see page 100

CONDITIONAL

PRESENT	SUBJUNCTIVE PRESENT	
realizaría	realice	**PRESENT INFINITIVE**
realizarías	realices	realizar
realizaría	realice	
realizaríamos	realicemos	**PAST INFINITIVE**
realizaríais	realicéis	haber realizado
realizarían	realicen	

PERFECT	IMPERFECT	
habría realizado	realiz-ara/ase	**PRESENT PARTICIPLE**
habrías realizado	realiz-aras/ases	realizando
habría realizado	realiz-ara/ase	
habríamos realizado	realiz-áramos/ásemos	**PAST PARTICIPLE**
habríais realizado	realiz-arais/aseis	realizado
habrían realizado	realiz-aran/asen	

PAST PERFECT
hubiera realizado
hubieras realizado
hubiera realizado
hubiéramos realizado
hubierais realizado
hubieran realizado

IMPERATIVE

(tú) realiza
(Vd) realice
(nosotros) realicemos
(vosotros) realizad
(Vds) realicen

PRESENT PERFECT
haya realizado etc
see page 100

INDICATIVE

PRESENT	**FUTURE**	**IMPERFECT**
recibo	recibiré	recibía
recibes	recibirás	recibías
recibe	recibirá	recibía
recibimos	recibiremos	recibíamos
recibís	recibiréis	recibíais
reciben	recibirán	recibían

PRETERITE	**PRESENT PERFECT**	**PAST PERFECT**
recibí	he recibido	había recibido
recibiste	has recibido	habías recibido
recibió	ha recibido	había recibido
recibimos	hemos recibido	habíamos recibido
recibisteis	habéis recibido	habíais recibido
recibieron	han recibido	habían recibido

PRETERITE PERFECT
hube recibido etc
see page 100

FUTURE PERFECT
habré recibido etc
see page 100

CONDITIONAL	*SUBJUNCTIVE*	*PRESENT INFINITIVE*
PRESENT	**PRESENT**	recibir
recibiría	reciba	
recibirías	recibas	*PAST INFINITIVE*
recibiría	reciba	haber recibido
recibiríamos	recibamos	
recibiríais	recibáis	
recibirían	reciban	

PERFECT	**IMPERFECT**	*PRESENT PARTICIPLE*
habría recibido	recib-iera/iese	recibiendo
habrías recibido	recib-ieras/ieses	
habría recibido	recib-iera/iese	*PAST PARTICIPLE*
habríamos recibido	recib-iéramos/iésemos	recibido
habríais recibido	recib-ierais/ieseis	
habrían recibido	recib-ieran/iesen	

PAST PERFECT
hubiera recibido
hubieras recibido
hubiera recibido
hubiéramos recibido
hubierais recibido
hubieran recibido

IMPERATIVE
(tú) recibe
(Vd) reciba
(nosotros) recibamos
(vosotros) recibid
(Vds) reciban

PRESENT PERFECT
haya recibido etc
see page 100

RECORDAR to remember

INDICATIVE

PRESENT	FUTURE	IMPERFECT
recuerdo	recordaré	recordaba
recuerdas	recordarás	recordabas
recuerda	recordará	recordaba
recordamos	recordaremos	recordábamos
recordáis	recordaréis	recordabais
recuerdan	recordarán	recordaban

PRETERITE	PRESENT PERFECT	PAST PERFECT
recordé	he recordado	había recordado
recordaste	has recordado	habías recordado
recordó	ha recordado	había recordado
recordamos	hemos recordado	habíamos recordado
recordasteis	habéis recordado	habíais recordado
recordaron	han recordado	habían recordado

PRETERITE PERFECT	FUTURE PERFECT
hube recordado etc	habré recordado
see page 100	see page 100

CONDITIONAL

PRESENT	SUBJUNCTIVE PRESENT	PRESENT INFINITIVE
recordaría	recuerde	recordar
recordarías	recuerdes	
recordaría	recuerde	PAST INFINITIVE
recordaríamos	recordemos	haber recordado
recordaríais	recordéis	
recordarían	recuerden	

PERFECT	IMPERFECT	PRESENT PARTICIPLE
habría recordado	record-ara/ase	recordando
habrías recordado	record-aras/ases	
habría recordado	record-ara/ase	
habríamos recordado	record-áramos/ásemos	PAST PARTICIPLE
habríais recordado	record-arais/aseis	recordado
habrían recordado	record-aran/asen	

PAST PERFECT
hubiera recordado
hubieras recordado
hubiera recordado
hubiéramos recordado
hubierais recordado
hubieran recordado

IMPERATIVE

(tú) recuerda
(Vd) recuerde
(nosotros) recordemos
(vosotros) recordad
(Vds) recuerden

PRESENT PERFECT
haya recordado etc
see page 100

INDICATIVE

PRESENT	**FUTURE**	**IMPERFECT**
reduzco	reduciré	reducía
reduces	reducirás	reducías
reduce	reducirá	reducía
reducimos	reduciremos	reducíamos
reducís	reduciréis	reducíais
reducen	reducirán	reducían

PRETERITE	**PRESENT PERFECT**	**PAST PERFECT**
reduje	he reducido	había reducido
redujiste	has reducido	habías reducido
redujo	ha reducido	había reducido
redujimos	hemos reducido	habíamos reducido
redujisteis	habéis reducido	habíais reducido
redujeron	han reducido	habían reducido

PRETERITE PERFECT	**FUTURE PERFECT**
hube reducido etc	habré reducido etc
see page 100	*see page 100*

CONDITIONAL

PRESENT	*SUBJUNCTIVE* **PRESENT**	*PRESENT INFINITIVE*
reduciría	reduzca	reducir
reducirías	reduzcas	
reduciría	reduzca	*PAST INFINITIVE*
reduciríamos	reduzcamos	haber reducido
reduciríais	reduzcáis	
reducirían	reduzcan	

PERFECT	**IMPERFECT**	*PRESENT PARTICIPLE*
habría reducido	reduj-era/ese	reduciendo
habrías reducido	reduj-eras/eses	
habría reducido	reduj-era/ese	*PAST PARTICIPLE*
habríamos reducido	reduj-éramos/ésemos	reducido
habríais reducido	reduj-erais/eseis	
habrían reducido	reduj-eran/esen	

PAST PERFECT

hubiera reducido
hubieras reducido
hubiera reducido
hubiéramos reducido
hubierais reducido
hubieran reducido

IMPERATIVE

(tú) reduce
(Vd) reduzca
(nosotros) reduzcamos
(vosotros) reducid
(Vds) reduzcan

PRESENT PERFECT

haya reducido etc
see page 100

INDICATIVE

PRESENT	**FUTURE**	**IMPERFECT**
rehúyo	rehuiré	rehuía
rehúyes	rehuirás	rehuías
rehúye	rehuirá	rehuía
rehuimos	rehuiremos	rehuíamos
rehuís	rehuiréis	rehuíais
rehúyen	rehuirán	rehuían

PRETERITE	**PRESENT PERFECT**	**PAST PERFECT**
rehuí	he rehuido	había rehuido
rehuiste	has rehuido	habías rehuido
rehuyó	ha rehuido	había rehuido
rehuimos	hemos rehuido	habíamos rehuido
rehuisteis	habéis rehuido	habíais rehuido
rehuyeron	han rehuido	habían rehuido

PRETERITE PERFECT	**FUTURE PERFECT**
hube rehuido etc	habré rehuido etc
see page 100	*see page 100*

CONDITIONAL

PRESENT	**SUBJUNCTIVE** **PRESENT**	**PRESENT** **INFINITIVE**
rehuiría	rehúya	rehuir
rehuirías	rehúyas	
rehuiría	rehúya	**PAST**
rehuiríamos	rehuyamos	**INFINITIVE**
rehuiríais	rehuyáis	haber rehuido
rehuirían	rehúyan	

PERFECT	**IMPERFECT**	**PRESENT** **PARTICIPLE**
habría rehuido	rehu-yera/yese	rehuyendo
habrías rehuido	rehu-yeras/yeses	
habría rehuido	rehu-yera/yese	**PAST**
habríamos rehuido	rehu-yéramos/yésemos	**PARTICIPLE**
habríais rehuido	rehu-yerais/yeseis	rehuido
habrían rehuido	rehu-yeran/yesen	

PAST PERFECT
hubiera rehuido
hubieras rehuido
hubiera rehuido
hubiéramos rehuido
hubierais rehuido
hubieran rehuido

IMPERATIVE
(tú) rehúye
(Vd) rehúya
(nosotros) rehuyamos
(vosotros) rehuid
(Vds) rehúyan

PRESENT PERFECT
haya rehuido etc
see page 100

INDICATIVE

PRESENT	FUTURE	IMPERFECT
rehúso	rehusaré	rehusaba
rehúsas	rehusarás	rehusabas
rehúsa	rehusará	rehusaba
rehusamos	rehusaremos	rehusábamos
rehusáis	rehusaréis	rehusabais
rehúsan	rehusarán	rehusaban

PRETERITE	PRESENT PERFECT	PAST PERFECT
rehusé	he rehusado	había rehusado
rehusaste	has rehusado	habías rehusado
rehusó	ha rehusado	había rehusado
rehusamos	hemos rehusado	habíamos rehusado
rehusasteis	habéis rehusado	habíais rehusado
rehusaron	han rehusado	habían rehusado

PRETERITE PERFECT	FUTURE PERFECT
hube rehusado etc	habré rehusado etc
see page 100	see page 100

CONDITIONAL	SUBJUNCTIVE	
PRESENT	**PRESENT**	**PRESENT INFINITIVE**
rehusaría	rehúse	rehusar
rehusarías	rehúses	
rehusaría	rehúse	**PAST INFINITIVE**
rehusaríamos	rehusemos	haber rehusado
rehusaríais	rehuséis	
rehusarían	rehúsen	

PERFECT	IMPERFECT	PRESENT PARTICIPLE
habría rehusado	rehus-ara/ase	rehusando
habrías rehusado	rehus-aras/ases	
habría rehusado	rehus-ara/ase	**PAST PARTICIPLE**
habríamos rehusado	rehus-áramos/ásemos	rehusado
habríais rehusado	rehus-arais/aseis	
habrían rehusado	rehus-aran/asen	

PAST PERFECT

hubiera rehusado
hubieras rehusado
hubiera rehusado
hubiéramos rehusado
hubierais rehusado
hubieran rehusado

IMPERATIVE

(tú) rehúsa
(Vd) rehúse
(nosotros) rehusemos
(vosotros) rehusad
(Vds) rehúsen

PRESENT PERFECT

haya rehusado etc
see page 100

INDICATIVE

PRESENT	FUTURE	IMPERFECT
río	reiré	reía
ríes	reirás	reías
ríe	reirá	reía
reímos	reiremos	reíamos
reís	reiréis	reíais
ríen	reirán	reían

PRETERITE	PRESENT PERFECT	PAST PERFECT
reí	he reído	había reído
reíste	has reído	habías reído
rió	ha reído	había reído
reímos	hemos reído	habíamos reído
reísteis	habéis reído	habíais reído
rieron	han reído	habían reído

PRETERITE PERFECT	FUTURE PERFECT
hube reído etc	habré reído etc
see page 100	*see page 100*

CONDITIONAL

PRESENT		SUBJUNCTIVE	PRESENT
		PRESENT	INFINITIVE
reiría		ría	reír
reirías		rías	
reiría		ría	PAST
reiríamos		riamos	INFINITIVE
reiríais		riáis	haber reído
reirían		rían	

PERFECT	IMPERFECT	PRESENT PARTICIPLE
habría reído	r-iera/iese	
habrías reído	r-ieras/ieses	riendo
habría reído	r-iera/iese	
habríamos reído	r-iéramos/iésemos	PAST
habríais reído	r-ierais/ieseis	PARTICIPLE
habrían reído	r-ieran/iesen	reído

PAST PERFECT

hubiera reído
hubieras reído
hubiera reído
hubiéramos reído
hubierais reído
hubieran reído

IMPERATIVE

(tú) ríe
(Vd) ría
(nosotros) riamos
(vosotros) reíd
(Vds) rían

PRESENT PERFECT

haya reído etc
see page 100

INDICATIVE

PRESENT	**FUTURE**	**IMPERFECT**
repito	repetiré	repetía
repites	repetirás	repetías
repite	repetirá	repetía
repetimos	repetiremos	repetíamos
repetís	repetiréis	repetíais
repiten	repetirán	repetían

PRETERITE	**PRESENT PERFECT**	**PAST PERFECT**
repetí	he repetido	había repetido
repetiste	has repetido	habías repetido
repitió	ha repetido	había repetido
repetimos	hemos repetido	habíamos repetido
repetisteis	habéis repetido	habíais repetido
repitieron	han repetido	habían repetido

PRETERITE PERFECT	**FUTURE PERFECT**
hube repetido etc	habré repetido etc
see page 100	see page 100

CONDITIONAL	*SUBJUNCTIVE*	*PRESENT INFINITIVE*
PRESENT	**PRESENT**	
repetiría	repita	repetir
repetirías	repitas	
repetiría	repita	*PAST INFINITIVE*
repetiríamos	repitamos	haber repetido
repetiríais	repitáis	
repetirían	repitan	

PERFECT	**IMPERFECT**	*PRESENT PARTICIPLE*
habría repetido	repit-iera/iese	repitiendo
habrías repetido	repit-ieras/ieses	
habría repetido	repit-iera/iese	*PAST PARTICIPLE*
habríamos repetido	repit-iéramos/iésemos	repetido
habríais repetido	repit-ierais/ieseis	
habrían repetido	repit-ieran/iesen	

PAST PERFECT

hubiera repetido
hubieras repetido
hubiera repetido
hubiéramos repetido
hubierais repetido
hubieran repetido

IMPERATIVE

(tú) repite
(Vd) repita
(nosotros) repitamos
(vosotros) repetid
(Vds) repitan

PRESENT PERFECT

haya repetido etc
see page 100

INDICATIVE

PRESENT	FUTURE	IMPERFECT
reúno	reuniré	reunía
reúnes	reunirás	reunías
reúne	reunirá	reunía
reunimos	reuniremos	reuníamos
reunís	reuniréis	reuníais
reúnen	reunirán	reunían

PRETERITE	PRESENT PERFECT	PAST PERFECT
reuní	he reunido	había reunido
reuniste	has reunido	habías reunido
reunió	ha reunido	había reunido
reunimos	hemos reunido	habíamos reunido
reunisteis	habéis reunido	habíais reunido
reunieron	han reunido	habían reunido

PRETERITE PERFECT	FUTURE PERFECT
hube reunido etc	habré reunido etc
see page 100	see page 100

CONDITIONAL	SUBJUNCTIVE	PRESENT
PRESENT	**PRESENT**	**INFINITIVE**
reuniría	reúna	reunir
reunirías	reúnas	
reuniría	reúna	**PAST**
reuniríamos	reunamos	**INFINITIVE**
reuniríais	reunáis	haber reunido
reunirían	reúnan	

PERFECT	IMPERFECT	PRESENT
		PARTICIPLE
habría reunido	reun-iera/iese	reuniendo
habrías reunido	reun-ieras/ieses	
habría reunido	reun-iera/iese	**PAST**
habríamos reunido	reun-iéramos/iésemos	**PARTICIPLE**
habríais reunido	reun-ierais/ieseis	reunido
habrían reunido	reun-ieran/iesen	

PAST PERFECT

hubiera reunido
hubieras reunido
hubiera reunido
hubiéramos reunido
hubierais reunido
hubieran reunido

IMPERATIVE

(tú) reúne
(Vd) reúna
(nosotros) reunamos
(vosotros) reunid
(Vds) reúnan

PRESENT PERFECT

haya reunido etc
see page 100

ROER to gnaw

INDICATIVE

PRESENT	**FUTURE**	**IMPERFECT**
roo/roigo/royo	roeré	roía
roes	roerás	roías
roe	roerá	roía
roemos	roeremos	roíamos
roéis	roeréis	roíais
roen	roerán	roían

PRETERITE	**PRESENT PERFECT**	**PAST PERFECT**
roí	he roído	había roído
roíste	has roído	habías roído
royó	ha roído	había roído
roímos	hemos roído	habíamos roído
roísteis	habéis roído	habíais roído
royeron	han roído	habían roído

PRETERITE PERFECT	**FUTURE PERFECT**
hube roído etc	habré roído etc
see *page 100*	see *page 100*

CONDITIONAL

PRESENT	*SUBJUNCTIVE* **PRESENT**	*PRESENT INFINITIVE*
roería	roa/rolga/roya	roer
roerías	roas	
roería	roa	*PAST INFINITIVE*
roeríamos	roamos	
roeríais	roáis	haber roído
roerían	roan	

PERFECT	**IMPERFECT**	*PRESENT PARTICIPLE*
habría roído	ro-yera/yese	royendo
habrías roído	ro-yeras/yeses	
habría roído	ro-yera/yese	*PAST PARTICIPLE*
habríamos roído	ro-yéramos/yésemos	
habríais roído	ro-yerais/yeseis	roído
habrían roído	ro-yeran/yesen	

PAST PERFECT
hubiera roído
hubieras roído
hubiera roído
hubiéramos roído
hubierais roído
hubieran roído

IMPERATIVE

(tú) roe
(Vd) roa
(nosotros) roamos
(vosotros) roed
(Vds) roan

PRESENT PERFECT
haya roído etc
see *page 100*

ROGAR to beg, to request

INDICATIVE

PRESENT	FUTURE	IMPERFECT
ruego	rogaré	rogaba
ruegas	rogarás	rogabas
ruega	rogará	rogaba
rogamos	rogaremos	rogábamos
rogáis	rogaréis	rogabais
ruegan	rogarán	rogaban

PRETERITE	PRESENT PERFECT	PAST PERFECT
rogué	he rogado	había rogado
rogaste	has rogado	habías rogado
rogó	ha rogado	había rogado
rogamos	hemos rogado	habíamos rogado
rogasteis	habéis rogado	habíais rogado
rogaron	han rogado	habían rogado

PRETERITE PERFECT	FUTURE PERFECT
hube rogado etc	habré rogado etc
see page 100	see page 100

CONDITIONAL

SUBJUNCTIVE

CONDITIONAL PRESENT	SUBJUNCTIVE PRESENT	PRESENT INFINITIVE
rogaría	ruegue	rogar
rogarías	ruegues	
rogaría	ruegue	PAST INFINITIVE
rogaríamos	roguemos	haber rogado
rogaríais	roguéis	
rogarían	rueguen	

PERFECT	IMPERFECT	PRESENT PARTICIPLE
habría rogado	rog-ara/ase	rogando
habrías rogado	rog-aras/ases	
habría rogado	rog-ara/ase	PAST PARTICIPLE
habríamos rogado	rog-áramos/ásemos	rogado
habríais rogado	rog-arais/aseis	
habrían rogado	rog-aran/asen	

PAST PERFECT

hubiera rogado
hubieras rogado
hubiera rogado
hubiéramos rogado
hubierais rogado
hubieran rogado

IMPERATIVE

(tú) ruega
(Vd) ruegue
(nosotros) roguemos
(vosotros) rogad
(Vds) rueguen

PRESENT PERFECT

haya rogado etc
see page 100

ROMPER to break   **165**

INDICATIVE
PRESENT	**FUTURE**	**IMPERFECT**
rompo	romperé	rompía
rompes	romperás	rompías
rompe	romperá	rompía
rompemos	romperemos	rompíamos
rompéis	romperéis	rompíais
rompen	romperán	rompían

PRETERITE	**PRESENT PERFECT**	**PAST PERFECT**
rompí	he roto	había roto
rompiste	has roto	habías roto
rompió	ha roto	había roto
rompimos	hemos roto	habíamos roto
rompisteis	habéis roto	habíais roto
rompieron	han roto	habían roto

PRETERITE PERFECT	**FUTURE PERFECT**
hube roto etc	habré roto etc
see *page 100*	see *page 100*

CONDITIONAL	*SUBJUNCTIVE*	*PRESENT INFINITIVE*
PRESENT	**PRESENT**	romper
rompería	rompa	
romperías	rompas	*PAST INFINITIVE*
rompería	rompa	haber roto
romperíamos	rompamos	
romperíais	rompáis	
romperían	rompan	

PERFECT	**IMPERFECT**	*PRESENT PARTICIPLE*
habría roto	romp-iera/iese	rompiendo
habrías roto	romp-ieras/ieses	
habría roto	romp-iera/iese	*PAST PARTICIPLE*
habríamos roto	romp-iéramos/iésemos	roto
habríais roto	romp-ierais/ieseis	
habrían roto	romp-ieran/iesen	

PAST PERFECT
hubiera roto
hubieras roto
hubiera roto
hubiéramos roto
hubierais roto
hubieran roto

IMPERATIVE
(tú) rompe
(Vd) rompa
(nosotros) rompamos
(vosotros) romped
(Vds) rompan

PRESENT PERFECT
haya roto etc
see *page 100*

SABER to know

INDICATIVE
PRESENT
sé
sabes
sabe
sabemos
sabéis
saben

FUTURE
sabré
sabrás
sabrá
sabremos
sabréis
sabrán

IMPERFECT
sabía
sabías
sabía
sabíamos
sabíais
sabían

PRETERITE
supe
supiste
supo
supimos
supisteis
supieron

PRESENT PERFECT
he sabido
has sabido
ha sabido
hemos sabido
habéis sabido
han sabido

PAST PERFECT
había sabido
habías sabido
había sabido
habíamos sabido
habíais sabido
habían sabido

PRETERITE PERFECT
hube sabido etc
see page 100

FUTURE PERFECT
habré sabido etc
see page 100

CONDITIONAL
PRESENT
sabría
sabrías
sabría
sabríamos
sabríais
sabrían

SUBJUNCTIVE
PRESENT
sepa
sepas
sepa
sepamos
sepáis
sepan

PRESENT INFINITIVE
saber

PAST INFINITIVE
haber sabido

PERFECT
habría sabido
habrías sabido
habría sabido
habríamos sabido
habríais sabido
habrían sabido

IMPERFECT
sup-iera/iese
sup-ieras/ieses
sup-iera/iese
sup-iéramos/iésemos
sup-ierais/ieseis
sup-ieran/iesen

PRESENT PARTICIPLE
sabiendo

PAST PARTICIPLE
sabido

PAST PERFECT
hubiera sabido
hubieras sabido
hubiera sabido
hubiéramos sabido
hubierais sabido
hubieran sabido

IMPERATIVE
(tú) sabe
(Vd) sepa
(nosotros) sepamos
(vosotros) sabed
(Vds) sepan

PRESENT PERFECT
haya sabido etc
see page 100

NOTES

1 MEANING

transitive: to know, to find out
intransitive: to taste of

2 CONSTRUCTIONS

saber a	to taste of *(lemon, chlorine, etc)*
saber de	to know about *(computers, art, etc)*
no saber de	not to know of *(someone's whereabouts)*
saber (algo) sobre/acerca de	to know (something) about *(something)*

3 USAGE

transitive:

ahora lo sé todo	now I know everything
no lo supe hasta ayer	I didn't find out until yesterday

+ infinitive:

no sé nadar	I can't swim
¿sabes esquiar?	can you ski?
no sabemos ir a tu casa	we don't know how to get to your house

+ que + indicative:

sabían que era difícil	they knew it was difficult
he sabido que mentiste	I found out that you lied

intransitive:

este pollo sabe a ajo	this chicken tastes of garlic
sabe más que yo	she knows more than I do

4 PHRASES & IDIOMS

lo sé/no (lo) sé	I know/I don't know
¡yo qué sé!/¡qué sé yo!	how should I know?
tu sabrás...	I hope you know what you're doing
¿sabes/sabe usted?	you know (what I mean)?
¿quién sabe?/¡vete a saber!	who knows?
que yo sepa, es verdad	as far as I know, it's true
no se sabe	nobody knows
no sé nada de ella	I haven't heard from her
me sabe mal no ir	I feel guilty/sorry about not going

INDICATIVE

PRESENT	FUTURE	IMPERFECT
saco	sacaré	sacaba
sacas	sacarás	sacabas
saca	sacará	sacaba
sacamos	sacaremos	sacábamos
sacáis	sacaréis	sacabais
sacan	sacarán	sacaban

PRETERITE	PRESENT PERFECT	PAST PERFECT
saqué	he sacado	había sacado
sacaste	has sacado	habías sacado
sacó	ha sacado	había sacado
sacamos	hemos sacado	habíamos sacado
sacasteis	habéis sacado	habíais sacado
sacaron	han sacado	habían sacado

PRETERITE PERFECT	FUTURE PERFECT
hube sacado etc	habré sacado etc
see page 100	*see page 100*

CONDITIONAL

PRESENT	SUBJUNCTIVE PRESENT	PRESENT INFINITIVE
sacaría	saque	sacar
sacarías	saques	
sacaría	saque	**PAST INFINITIVE**
sacaríamos	saquemos	haber sacado
sacaríais	saquéis	
sacarían	saquen	

PERFECT	IMPERFECT	PRESENT PARTICIPLE
habría sacado	sac-ara/ase	sacando
habrías sacado	sac-aras/ases	
habría sacado	sac-ara/ase	**PAST PARTICIPLE**
habríamos sacado	sac-áramos/ásemos	sacado
habríais sacado	sac-arais/aseis	
habrían sacado	sac-aran/asen	

PAST PERFECT

hubiera sacado
hubieras sacado
hubiera sacado
hubiéramos sacado
hubierais sacado
hubieran sacado

IMPERATIVE

(tú) saca	
(Vd) saque	
(nosotros) saquemos	**PRESENT PERFECT**
(vosotros) sacad	haya sacado etc
(Vds) saquen	*see page 100*

INDICATIVE

PRESENT	FUTURE	IMPERFECT
salgo	saldré	salía
sales	saldrás	salías
sale	saldrá	salía
salimos	saldremos	salíamos
salís	saldréis	salíais
salen	saldrán	salían

PRETERITE	PRESENT PERFECT	PAST PERFECT
salí	he salido	había salido
saliste	has salido	habías salido
salió	ha salido	había salido
salimos	hemos salido	habíamos salido
salisteis	habéis salido	habíais salido
salieron	han salido	habían salido

PRETERITE PERFECT	FUTURE PERFECT
hube salido etc	habré salido etc
see page 100	see page 100

CONDITIONAL

PRESENT
saldría
saldrías
saldría
saldríamos
saldríais
saldrían

PERFECT
habría salido
habrías salido
habría salido
habríamos salido
habríais salido
habrían salido

SUBJUNCTIVE

PRESENT
salga
salgas
salga
salgamos
salgáis
salgan

IMPERFECT
sal-iera/iese
sal-ieras/ieses
sal-iera/iese
sal-iéramos/iésemos
sal-ierais/ieseis
sal-ieran/iesen

PAST PERFECT
hubiera salido
hubieras salido
hubiera salido
hubiéramos salido
hubierais salido
hubieran salido

PRESENT PERFECT
haya salido etc
see page 100

PRESENT INFINITIVE
salir

PAST INFINITIVE
haber salido

PRESENT PARTICIPLE
saliendo

PAST PARTICIPLE
salido

IMPERATIVE

(tú) sal
(Vd) salga
(nosotros) salgamos
(vosotros) salid
(Vds) salgan

SATISFACER to satisfy

INDICATIVE

PRESENT	FUTURE	IMPERFECT
satisfago	satisfaré	satisfacía
satisfaces	satisfarás	satisfacías
satisface	satisfará	satisfacía
satisfacemos	satisfaremos	satisfacíamos
satisfacéis	satisfaréis	satisfacíais
satisfacen	satisfarán	satisfacían

PRETERITE	PRESENT PERFECT	PAST PERFECT
satisfice	he satisfecho	había satisfecho
satisficiste	has satisfecho	habías satisfecho
satisfizo	ha satisfecho	había satisfecho
satisficimos	hemos satisfecho	habíamos satisfecho
satisficisteis	habéis satisfecho	habíais satisfecho
satisficieron	han satisfecho	habían satisfecho

PRETERITE PERFECT	FUTURE PERFECT
hube satisfecho etc	habré satisfecho etc
see page 100	see page 100

CONDITIONAL

PRESENT	SUBJUNCTIVE PRESENT	
satisfaría	satisfaga	*PRESENT INFINITIVE*
satisfarías	satisfagas	satisfacer
satisfaría	satisfaga	
satisfaríamos	satisfagamos	*PAST INFINITIVE*
satisfaríais	satisfagáis	haber satisfecho
satisfarían	satisfagan	

PERFECT	IMPERFECT	
habría satisfecho	satisfic-iera/iese	*PRESENT PARTICIPLE*
habrías satisfecho	satisfic-ieras/ieses	satisfaciendo
habría satisfecho	satisfic-iera/iese	
habríamos satisfecho	satisfic-iéramos/iésemos	*PAST PARTICIPLE*
habríais satisfecho	satisfic-ierais/ieseis	satisfecho
habrían satisfecho	satisfic-ieran/iesen	

PAST PERFECT

hubiera satisfecho
hubieras satisfecho
hubiera satisfecho
hubiéramos satisfecho
hubierais satisfecho
hubieran satisfecho

IMPERATIVE

(tú) satisface/satisfaz
(Vd) satisfaga
(nosotros) satisfagamos
(vosotros) satisfaced
(Vds) satisfagan

PRESENT PERFECT

haya satisfecho etc
see page 100

SEGUIR to follow 170

INDICATIVE

PRESENT	FUTURE	IMPERFECT
sigo	seguiré	seguía
sigues	seguirás	seguías
sigue	seguirá	seguía
seguimos	seguiremos	seguíamos
seguís	seguiréis	seguíais
siguen	seguirán	seguían

PRETERITE	PRESENT PERFECT	PAST PERFECT
seguí	he seguido	había seguido
seguiste	has seguido	habías seguido
siguió	ha seguido	había seguido
seguimos	hemos seguido	habíamos seguido
seguisteis	habéis seguido	habíais seguido
siguieron	han seguido	habían seguido

PRETERITE PERFECT
hube seguido etc
see page 100

FUTURE PERFECT
habré seguido etc
see page 100

CONDITIONAL

PRESENT	
seguiría	
seguirías	
seguiría	
seguiríamos	
seguiríais	
seguirían	

PERFECT
habría seguido
habrías seguido
habría seguido
habríamos seguido
habríais seguido
habrían seguido

SUBJUNCTIVE

PRESENT
siga
sigas
siga
sigamos
sigáis
sigan

IMPERFECT
sigu-iera/iese
sigu-ieras/ieses
sigu-iera/iese
sigu-iéramos/iésemos
sigu-ierais/ieseis
sigu-ieran/iesen

PAST PERFECT
hubiera seguido
hubieras seguido
hubiera seguido
hubiéramos seguido
hubierais seguido
hubieran seguido

PRESENT PERFECT
haya seguido etc
see page 100

IMPERATIVE
(tú) sigue
(Vd) siga
(nosotros) sigamos
(vosotros) seguid
(Vds) sigan

PRESENT INFINITIVE
seguir

PAST INFINITIVE
haber seguido

PRESENT PARTICIPLE
siguiendo

PAST PARTICIPLE
seguido

INDICATIVE

PRESENT	FUTURE	IMPERFECT
me siento	me sentaré	me sentaba
te sientas	te sentarás	te sentabas
se sienta	se sentará	se sentaba
nos sentamos	nos sentaremos	nos sentábamos
os sentáis	os sentaréis	os sentabais
se sientan	se sentarán	se sentaban

PRETERITE	PRESENT PERFECT	PAST PERFECT
me senté	me he sentado	me había sentado
te sentaste	te has sentado	te habías sentado
se sentó	se ha sentado	se había sentado
nos sentamos	nos hemos sentado	nos habíamos sentado
os sentasteis	os habéis sentado	os habíais sentado
se sentaron	se han sentado	se habían sentado

PRETERITE PERFECT	FUTURE PERFECT
me hube sentado etc	me habré sentado
see page 100	*see page 100*

CONDITIONAL

PRESENT	PRESENT (SUBJUNCTIVE)	
me sentaría	me siente	**PRESENT INFINITIVE**
te sentarías	te sientes	sentarse
se sentaría	se siente	
nos sentaríamos	nos sentemos	**PAST INFINITIVE**
os sentaríais	os sentéis	haberse sentado
se sentarían	se sienten	

SUBJUNCTIVE

PERFECT	IMPERFECT	
me habría sentado	me sent-ara/ase	**PRESENT PARTICIPLE**
te habrías sentado	te sent-aras/ases	sentándose
se habría sentado	se sent-ara/ase	
nos habríamos sentado	nos sent-áramos/ásemos	**PAST PARTICIPLE**
os habríais sentado	os sent-arais/aseis	sentado
se habrían sentado	se sent-aran/asen	

PAST PERFECT

me hubiera sentado
te hubieras sentado
se hubiera sentado
nos hubiéramos sentado
os hubierais sentado
se hubieran sentado

IMPERATIVE

(tú) siéntate
(Vd) siéntese
(nosotros) sentémonos
(vosotros) sentaos
(Vds) siéntense

PRESENT PERFECT

me haya sentado etc
see page 100

SENTIR to feel, to feel sorry **172**

INDICATIVE

PRESENT	**FUTURE**	**IMPERFECT**
siento	sentiré	sentía
sientes	sentirás	sentías
siente	sentirá	sentía
sentimos	sentiremos	sentíamos
sentís	sentiréis	sentíais
sienten	sentirán	sentían

PRETERITE	**PRESENT PERFECT**	**PAST PERFECT**
sentí	he sentido	había sentido
sentiste	has sentido	habías sentido
sintió	ha sentido	había sentido
sentimos	hemos sentido	habíamos sentido
sentisteis	habéis sentido	habíais sentido
sintieron	han sentido	habían sentido

PRETERITE PERFECT	**FUTURE PERFECT**
hube sentido etc	habré sentido etc
see page 100	see page 100

CONDITIONAL	*SUBJUNCTIVE*	*PRESENT*
PRESENT	**PRESENT**	*INFINITIVE*
sentiría	sienta	sentir
sentirías	sientas	
sentiría	sienta	*PAST*
sentiríamos	sintamos	*INFINITIVE*
sentiríais	sintáis	haber sentido
sentirían	sientan	

PERFECT	**IMPERFECT**	*PRESENT*
habría sentido	sint-iera/iese	*PARTICIPLE*
habrías sentido	sint-ieras/ieses	sintiendo
habría sentido	sint-iera/iese	
habríamos sentido	sint-iéramos/iésemos	*PAST*
habríais sentido	sint-ierais/ieseis	*PARTICIPLE*
habrían sentido	sint-ieran/iesen	sentido

PAST PERFECT
hubiera sentido
hubieras sentido
hubiera sentido
hubiéramos sentido
hubierais sentido
hubieran sentido

IMPERATIVE
(tú) siente
(Vd) sienta
(nosotros) sintamos
(vosotros) sentid
(Vds) sientan

PRESENT PERFECT
haya sentido etc
see page 100

INDICATIVE

PRESENT	FUTURE	IMPERFECT
soy	seré	era
eres	serás	eras
es	será	era
somos	seremos	éramos
sois	seréis	erais
son	serán	eran

PRETERITE	PRESENT PERFECT	PAST PERFECT
fui	he sido	había sido
fuiste	has sido	habías sido
fue	ha sido	había sido
fuimos	hemos sido	habíamos sido
fuisteis	habéis sido	habíais sido
fueron	han sido	habían sido

PRETERITE PERFECT	FUTURE PERFECT
hube sido etc	habré sido etc
see page 100	*see page 100*

CONDITIONAL / SUBJUNCTIVE

CONDITIONAL PRESENT	SUBJUNCTIVE PRESENT	
sería	sea	**PRESENT INFINITIVE**
serías	seas	ser
sería	sea	
seríamos	seamos	**PAST INFINITIVE**
seríais	seáis	haber sido
serían	sean	

PERFECT	IMPERFECT	
habría sido	fu-era/ese	**PRESENT PARTICIPLE**
habrías sido	fu-eras/eses	siendo
habría sido	fu-era/ese	
habríamos sido	fu-éramos/ésemos	**PAST PARTICIPLE**
habríais sido	fu-erais/eseis	sido
habrían sido	fu-eran/esen	

PAST PERFECT

hubiera sido
hubieras sido
hubiera sido
hubiéramos sido
hubierais sido
hubieran sido

IMPERATIVE

(tú) sé
(Vd) sea
(nosotros) seamos
(vosotros) sed
(Vds) sean

PRESENT PERFECT

haya sido etc
see page 100

NOTES

I MEANING

to be *(identity, origin, inherent quality, occupation, possession, material, time)*
(see Introduction p. xxxiv)

2 CONSTRUCTIONS

ser de	to be, to come from *(a place)*
ser de	to be made of *(metal, wood, wool)*
ser de	to belong to *(somebody)*
ser para	to be for *(a purpose, somebody)*

3 USAGE

intransitive:

+ noun.

Laura es profesora	Laura is a teacher
esto antes era un pueblo	this used to be a village

+ adjective:

son muy simpáticos	they are very friendly
será francesa	she must be French

+ preposition:

¿de dónde sois?	where are you from?
somos de Caracas	we are from Caracas
¿de qué era? era de madera	what was it made of? it was made of wood
¿de quién es? es de Ana	whose is it? it Is Ana's
¿para qué es? es para coser	what is it for? it's for sewing
¿para quién era? era para ti	who was it for? it was for you

auxiliary + participle:

fue escrito por Cervantes	it was written by Cervantes
la ciudad ha sido bombardeada	the city was bombed

4 PHRASES & IDIOMS

¿quién es/era?	who is/was calling?
soy yo/soy Manuel	it's me/it's Manuel
es la una/son las dos	it's one/two o'clock
¡serás idiota!	how can you be so stupid!
érase una vez ...	once upon a time ...
es que ...	the thing is ...
¿cómo es que no lo vio?	how come he didn't see it?
o sea, que es verdad	that is to say, it's true

SERVIR to serve

INDICATIVE

PRESENT	FUTURE	IMPERFECT
sirvo	serviré	servía
sirves	servirás	servías
sirve	servirá	servía
servimos	serviremos	servíamos
servís	serviréis	servíais
sirven	servirán	servían

PRETERITE	PRESENT PERFECT	PAST PERFECT
serví	he servido	había servido
serviste	has servido	habías servido
sirvió	ha servido	había servido
servimos	hemos servido	habíamos servido
servisteis	habéis servido	habíais servido
sirvieron	han servido	habían servido

PRETERITE PERFECT	FUTURE PERFECT
hube servido etc	habré servido etc
see page 100	see page 100

CONDITIONAL

PRESENT	SUBJUNCTIVE PRESENT	
serviría	sirva	PRESENT INFINITIVE
servirías	sirvas	servir
serviría	sirva	
serviríamos	sirvamos	PAST INFINITIVE
serviríais	sirváis	haber servido
servirían	sirvan	

PERFECT	IMPERFECT	
habría servido	sirv-iera/iese	PRESENT PARTICIPLE
habrías servido	sirv-ieras/ieses	sirviendo
habría servido	sirv-iera/iese	
habríamos servido	sirv-iéramos/iésemos	PAST PARTICIPLE
habríais servido	sirv-ierais/ieseis	servido
habrían servido	sirv-ieran/iesen	

PAST PERFECT

hubiera servido
hubieras servido
hubiera servido
hubiéramos servido
hubierais servido
hubieran servido

IMPERATIVE

(tú) sirve
(Vd) sirva
(nosotros) sirvamos
(vosotros) servid
(Vds) sirvan

PRESENT PERFECT

haya servido etc
see page 100

INDICATIVE

PRESENT	FUTURE	IMPERFECT
sitúo	situaré	situaba
sitúas	situarás	situabas
sitúa	situará	situaba
situamos	situaremos	situábamos
situáis	situaréis	situabais
sitúan	situarán	situaban

PRETERITE	PRESENT PERFECT	PAST PERFECT
situé	he situado	había situado
situaste	has situado	habías situado
situó	ha situado	había situado
situamos	hemos situado	habíamos situado
situasteis	habéis situado	habíais situado
situaron	han situado	habían situado

PRETERITE PERFECT	FUTURE PERFECT
hube situado etc	habré situado etc
see page 100	see page 100

CONDITIONAL

SUBJUNCTIVE

CONDITIONAL PRESENT	SUBJUNCTIVE PRESENT	PRESENT INFINITIVE
situaría	sitúe	situar
situarías	sitúes	
situaría	sitúe	PAST INFINITIVE
situaríamos	situemos	haber situado
situaríais	situéis	
situarían	sitúen	

PERFECT	IMPERFECT	PRESENT PARTICIPLE
habría situado	situ-ara/ase	situando
habrías situado	situ-aras/ases	
habría situado	situ-ara/ase	PAST PARTICIPLE
habríamos situado	situ-áramos/ásemos	situado
habríais situado	situ-arais/aseis	
habrían situado	situ-aran/asen	

PAST PERFECT
hubiera situado
hubieras situado
hubiera situado
hubiéramos situado
hubierais situado
hubieran situado

IMPERATIVE

(tú) sitúa
(Vd) sitúe
(nosotros) situemos
(vosotros) situad
(Vds) sitúen

PRESENT PERFECT
haya situado etc
see page 100

INDICATIVE

PRESENT	**FUTURE**	**IMPERFECT**
suelo		solía
sueles		solías
suele		solía
solemos		solíamos
soléis		solíais
suelen		solían

PRETERITE	**PRESENT PERFECT**	**PAST PERFECT**

PRETERITE PERFECT	**FUTURE PERFECT**

CONDITIONAL	*SUBJUNCTIVE*	
PRESENT	**PRESENT**	*PRESENT INFINITIVE*
	suela	soler
	suelas	
	suela	*PAST INFINITIVE*
	solamos	
	soláis	
	suelan	
PERFECT	**IMPERFECT**	*PRESENT PARTICIPLE*
		PAST PARTICIPLE
	PAST PERFECT	

IMPERATIVE

PRESENT PERFECT

SOÑAR to dream 177

INDICATIVE

PRESENT	FUTURE	IMPERFECT
sueño	soñaré	soñaba
sueñas	soñarás	soñabas
sueña	soñará	soñaba
soñamos	soñaremos	soñábamos
soñáis	soñaréis	soñabais
sueñan	soñarán	soñaban

PRETERITE	PRESENT PERFECT	PAST PERFECT
soñé	he soñado	había soñado
soñaste	has soñado	habías soñado
soñó	ha soñado	había soñado
soñamos	hemos soñado	habíamos soñado
soñasteis	habéis soñado	habíais soñado
soñaron	han soñado	habían soñado

PRETERITE PERFECT	FUTURE PERFECT
hube soñado etc	habré soñado etc
see page 100	see page 100

CONDITIONAL	SUBJUNCTIVE	
PRESENT	**PRESENT**	**PRESENT INFINITIVE**
soñaría	sueñe	soñar
soñarías	sueñes	
soñaría	sueñe	**PAST INFINITIVE**
soñaríamos	soñemos	haber soñado
soñaríais	soñéis	
soñarían	sueñen	

PERFECT	**IMPERFECT**	**PRESENT PARTICIPLE**
habría soñado	soñ-ara/ase	soñando
habrías soñado	soñ-aras/ases	
habría soñado	soñ-ara/ase	**PAST PARTICIPLE**
habríamos soñado	soñ-áramos/ásemos	soñado
habríais soñado	soñ-arais/aseis	
habrían soñado	soñ-aran/asen	

PAST PERFECT
hubiera soñado
hubieras soñado
hubiera soñado
hubiéramos soñado
hubierais soñado
hubieran soñado

IMPERATIVE

(tú) sueña
(Vd) sueñe
(nosotros) soñemos
(vosotros) soñad
(Vds) sueñen

PRESENT PERFECT
haya soñado etc
see page 100

INDICATIVE

PRESENT	FUTURE	IMPERFECT
subo	subiré	subía
subes	subirás	subías
sube	subirá	subía
subimos	subiremos	subíamos
subís	subiréis	subíais
suben	subirán	subían

PRETERITE	PRESENT PERFECT	PAST PERFECT
subí	he subido	había subido
subiste	has subido	habías subido
subió	ha subido	había subido
subimos	hemos subido	habíamos subido
subisteis	habéis subido	habíais subido
subieron	han subido	habían subido

PRETERITE PERFECT	FUTURE PERFECT
hube subido etc	habré subido etc
see page 100	*see page 100*

CONDITIONAL

PRESENT	SUBJUNCTIVE PRESENT	
subiría	suba	*PRESENT INFINITIVE*
subirías	subas	subir
subiría	suba	
subiríamos	subamos	*PAST INFINITIVE*
subiríais	subáis	haber subido
subirían	suban	

PERFECT	IMPERFECT	
habría subido	sub-iera/iese	*PRESENT PARTICIPLE*
habrías subido	sub-ieras/ieses	subiendo
habría subido	sub-iera/iese	
habríamos subido	sub-iéramos/iésemos	*PAST PARTICIPLE*
habríais subido	sub-ierais/ieseis	subido
habrían subido	sub-ieran/iesen	

PAST PERFECT

hubiera subido
hubieras subido
hubiera subido
hubiéramos subido
hubierais subido
hubieran subido

IMPERATIVE

(tú) sube
(Vd) suba
(nosotros) subamos
(vosotros) subid
(Vds) suban

PRESENT PERFECT

haya subido etc
see page 100

SUGERIR to suggest

INDICATIVE

PRESENT	FUTURE	IMPERFECT
sugiero	sugeriré	sugería
sugieres	sugerirás	sugerías
sugiere	sugerirá	sugería
sugerimos	sugeriremos	sugeríamos
sugerís	sugeriréis	sugeríais
sugieren	sugerirán	sugerían

PRETERITE	PRESENT PERFECT	PAST PERFECT
sugerí	he sugerido	había sugerido
sugeriste	has sugerido	habías sugerido
sugirió	ha sugerido	había sugerido
sugerimos	hemos sugerido	habíamos sugerido
sugeristeis	habéis sugerido	habíais sugerido
sugirieron	han sugerido	habían sugerido

PRETERITE PERFECT	FUTURE PERFECT
hube sugerido etc	habré sugerido etc
see page 100	*see page 100*

CONDITIONAL

PRESENT	SUBJUNCTIVE PRESENT	PRESENT INFINITIVE
sugeriría	sugiera	sugerir
sugerirías	sugieras	
sugeriría	sugiera	PAST INFINITIVE
sugeriríamos	sugiramos	haber sugerido
sugeriríais	sugiráis	
sugerirían	sugieran	

PERFECT	IMPERFECT	PRESENT PARTICIPLE
habría sugerido	sugir-iera/iese	sugiriendo
habrías sugerido	sugir-ieras/ieses	
habría sugerido	sugir-iera/iese	PAST PARTICIPLE
habríamos sugerido	sugir-iéramos/iésemos	sugerido
habríais sugerido	sugir-ierais/ieseis	
habrían sugerido	sugir-ieran/iesen	

PAST PERFECT

hubiera sugerido
hubieras sugerido
hubiera sugerido
hubiéramos sugerido
hubierais sugerido
hubieran sugerido

IMPERATIVE

(tú) sugiere
(Vd) sugiera
(nosotros) sugiramos
(vosotros) sugerid
(Vds) sugieran

PRESENT PERFECT

haya sugerido etc
see page 100

INDICATIVE

PRESENT	FUTURE	IMPERFECT
tengo	tendré	tenía
tienes	tendrás	tenías
tiene	tendrá	tenía
tenemos	tendremos	teníamos
tenéis	tendréis	teníais
tienen	tendrán	tenían

PRETERITE	PRESENT PERFECT	PAST PERFECT
tuve	he tenido	había tenido
tuviste	has tenido	habías tenido
tuvo	ha tenido	había tenido
tuvimos	hemos tenido	habíamos tenido
tuvisteis	habéis tenido	habíais tenido
tuvieron	han tenido	habían tenido

PRETERITE PERFECT	FUTURE PERFECT
hube tenido etc	habré tenido etc
see page 100	*see page 100*

CONDITIONAL

PRESENT
tendría
tendrías
tendría
tendríamos
tendríais
tendrían

PERFECT
habría tenido
habrías tenido
habría tenido
habríamos tenido
habríais tenido
habrían tenido

SUBJUNCTIVE

PRESENT
tenga
tengas
tenga
tengamos
tengáis
tengan

IMPERFECT
tuv-iera/iese
tuv-ieras/ieses
tuv-iera/iese
tuv-iéramos/iésemos
tuv-ierais/ieseis
tuv-ieran/iesen

PAST PERFECT
hubiera tenido
hubieras tenido
hubiera tenido
hubiéramos tenido
hubierais tenido
hubieran tenido

PRESENT PERFECT
haya tenido etc
see page 100

IMPERATIVE

(tú) ten
(Vd) tenga
(nosotros) tengamos
(vosotros) tened
(Vds) tengan

PRESENT INFINITIVE
tener

PAST INFINITIVE
haber tenido

PRESENT PARTICIPLE
teniendo

PAST PARTICIPLE
tenido

NOTES

1 MEANING

to have

2 USAGE

transitive:

tengo dos hermanas	I've got two sisters
tengo 24 años	I am 24 years old
tiene frío/calor/hambre/sed	he is cold/hot/hungry/thirsty
tener prisa/miedo	to be in a hurry/scared
tener razón/cuidado	to be right/careful

+ ganas de + *infinitive* or + que + *subjunctive*:

tenemos ganas de salir	we feel like going out
tenía ganas de que llegaras	I was looking forward to your arrival

+ *past participle*:

tiene compradas 2 entradas	he has bought two tickets
te tengo visto	I have seen you before

+ *present participle* (Latin American only):

tiene sólo 2 meses manejando	he has only been driving for 2 months

reflexive:

no se tiene en pie	it won't stand upright, he's tired out

3 PHRASES & IDIOMS

¿tiene(s) hora?	have you got the time?
¿qué precio tiene?	what is the price?
¿cuántos años/qué edad tiene?	how old is she?
¿qué tienes?	what's the matter with you?
¡ten/tenga!	there you are!, catch!
no tengo nada que hacer	I've got nothing to do
la pelea tuvo lugar aquí	the fight took place here
le tenía mucho cariño	I was very fond of him

INDICATIVE

PRESENT	FUTURE	IMPERFECT
tiño	teñiré	teñía
tiñes	teñirás	teñías
tiñe	teñirá	teñía
teñimos	teñiremos	teñíamos
teñís	teñiréis	teñíais
tiñen	teñirán	teñían

PRETERITE	PRESENT PERFECT	PAST PERFECT
teñí	he teñido	había teñido
teñiste	has teñido	habías teñido
tiñó	ha teñido	había teñido
teñimos	hemos teñido	habíamos teñido
teñisteis	habéis teñido	habíais teñido
tiñeron	han teñido	habían teñido

PRETERITE PERFECT	FUTURE PERFECT
hube teñido etc	habré teñido etc
see page 100	see page 100

CONDITIONAL	SUBJUNCTIVE	
PRESENT	PRESENT	PRESENT INFINITIVE
teñiría	tiña	teñir
teñirías	tiñas	
teñiría	tiña	PAST INFINITIVE
teñiríamos	tiñamos	haber teñido
teñiríais	tiñáis	
teñirían	tiñan	

PERFECT	IMPERFECT	
habría teñido	tiñ-era/ese	PRESENT PARTICIPLE
habrías teñido	tiñ-eras/eses	tiñendo
habría teñido	tiñ-era/ese	
habríamos teñido	tiñ-éramos/ésemos	PAST PARTICIPLE
habríais teñido	tiñ-erais/eseis	teñido
habrían teñido	tiñ-eran/esen	

PAST PERFECT

hubiera teñido
hubieras teñido
hubiera teñido
hubiéramos teñido
hubierais teñido
hubieran teñido

IMPERATIVE

(tú) tiñe
(Vd) tiña
(nosotros) tiñamos
(vosotros) teñid
(Vds) tiñan

PRESENT PERFECT

haya teñido etc
see page 100

TOCAR to touch, to play music 182

INDICATIVE

PRESENT	FUTURE	IMPERFECT
toco	tocaré	tocaba
tocas	tocarás	tocabas
toca	tocará	tocaba
tocamos	tocaremos	tocábamos
tocáis	tocaréis	tocabais
tocan	tocarán	tocaban

PRETERITE	PRESENT PERFECT	PAST PERFECT
toqué	he tocado	había tocado
tocaste	has tocado	habías tocado
tocó	ha tocado	había tocado
tocamos	hemos tocado	habíamos tocado
tocasteis	habéis tocado	habíais tocado
tocaron	han tocado	habían tocado

PRETERITE PERFECT
hube tocado etc
see page 100

FUTURE PERFECT
habré tocado etc
see page 100

CONDITIONAL

PRESENT
tocaría
tocarías
tocaría
tocaríamos
tocaríais
tocarían

PERFECT
habría tocado
habrías tocado
habría tocado
habríamos tocado
habríais tocado
habrían tocado

SUBJUNCTIVE

PRESENT
toque
toques
toque
toquemos
toquéis
toquen

IMPERFECT
toc-ara/ase
toc-aras/ases
toc-ara/ase
toc-áramos/ásemos
toc-arais/aseis
toc-aran/asen

PAST PERFECT
hubiera tocado
hubieras tocado
hubiera tocado
hubiéramos tocado
hubierais tocado
hubieran tocado

PRESENT PERFECT
haya tocado etc
see page 100

PRESENT INFINITIVE
tocar

PAST INFINITIVE
haber tocado

PRESENT PARTICIPLE
tocando

PAST PARTICIPLE
tocado

IMPERATIVE

(tú) toca
(Vd) toque
(nosotros) toquemos
(vosotros) tocad
(Vds) toquen

INDICATIVE

PRESENT	FUTURE	IMPERFECT
tomo	tomaré	tomaba
tomas	tomarás	tomabas
toma	tomará	tomaba
tomamos	tomaremos	tomábamos
tomáis	tomaréis	tomabais
toman	tomarán	tomaban

PRETERITE	PRESENT PERFECT	PAST PERFECT
tomé	he tomado	había tomado
tomaste	has tomado	habías tomado
tomó	ha tomado	había tomado
tomamos	hemos tomado	habíamos tomado
tomasteis	habéis tomado	habíais tomado
tomaron	han tomado	habían tomado

PRETERITE PERFECT	FUTURE PERFECT
hube tomado etc	habré tomado etc
see page 100	*see page 100*

CONDITIONAL

PRESENT	SUBJUNCTIVE PRESENT	
tomaría	tome	PRESENT INFINITIVE
tomarías	tomes	tomar
tomaría	tome	
tomaríamos	tomemos	PAST INFINITIVE
tomaríais	toméis	haber tomado
tomarían	tomen	

PERFECT	IMPERFECT	
habría tomado	tom-ara/ase	PRESENT PARTICIPLE
habrías tomado	tom-aras/ases	tomando
habría tomado	tom-ara/ase	
habríamos tomado	tom-áramos/ásemos	PAST PARTICIPLE
habríais tomado	tom-arais/aseis	tomado
habrían tomado	tom-aran/asen	

PAST PERFECT

hubiera tomado
hubieras tomado
hubiera tomado
hubiéramos tomado
hubierais tomado
hubieran tomado

IMPERATIVE

(tú) toma
(Vd) tome
(nosotros) tomemos
(vosotros) tomad
(Vds) tomen

PRESENT PERFECT

haya tomado etc
see page 100

NOTES

1   MEANING

to take *(a bath, a photo, a train, a plane, a decision, a road, a street)*
to have *(food, drink)*
to drink *(Latin American only)*

2   CONSTRUCTIONS

tomar a (alguien) por	to take (somebody) for *(somebody/ something else)*
tomarla con	to take it out on *(somebody)*

3   USAGE

transitive:

tomó el tren de las ocho	he took the eight o'clock train
tomaré un café y un bocadillo	I'll have a coffee and a sandwich

intransitive:

tomaron demasiado	they drank too much

reflexive:

¿nos tomamos un descanso?	shall we take a break?

4   PHRASES & IDIOMS

¡toma/tome!	there you go!, catch!
¡toma (ya)!	there!, I told you so!
¿qué van a tomar/tomarán?	what would you like? *(said by a waiter)*
vamos a tomar el sol	let's sunbathe
vamos a tomar el aire	let's get some fresh air
tome la primera calle a la izquierda	take the first street on the left
lo tomaron por periodista	they took him for a journalist
¿por quién me toma?	who do you take me for?
se lo ha tomado bien/mal	she's taken it well/badly

INDICATIVE

PRESENT	**FUTURE**	**IMPERFECT**
tuerzo	torceré	torcía
tuerces	torcerás	torcías
tuerce	torcerá	torcía
torcemos	torceremos	torcíamos
torcéis	torceréis	torcíais
tuercen	torcerán	torcían

PRETERITE	**PRESENT PERFECT**	**PAST PERFECT**
torcí	he torcido	había torcido
torciste	has torcido	habías torcido
torció	ha torcido	había torcido
torcimos	hemos torcido	habíamos torcido
torcisteis	habéis torcido	habíais torcido
torcieron	han torcido	habían torcido

PRETERITE PERFECT	**FUTURE PERFECT**
hube torcido etc	habré torcido etc
see page 100	*see page 100*

CONDITIONAL

PRESENT	*SUBJUNCTIVE* **PRESENT**	*PRESENT INFINITIVE*
torcería	tuerza	torcer
torcerías	tuerzas	
torcería	tuerza	*PAST INFINITIVE*
torceríamos	torzamos	
torceríais	torzáis	haber torcido
torcerían	tuerzan	

PERFECT	**IMPERFECT**	*PRESENT PARTICIPLE*
habría torcido	torc-iera/iese	torciendo
habrías torcido	torc-ieras/ieses	
habría torcido	torc-iera/iese	*PAST PARTICIPLE*
habríamos torcido	torc-iéramos/iésemos	
habríais torcido	torc-ierais/ieseis	torcido
habrían torcido	torc-ieran/iesen	

PAST PERFECT

hubiera torcido
hubieras torcido
hubiera torcido
hubiéramos torcido
hubierais torcido
hubieran torcido

IMPERATIVE

(tú) tuerce
(Vd) tuerza
(nosotros) torzamos
(vosotros) torced
(Vds) tuerzan

PRESENT PERFECT

haya torcido etc
see page 100

INDICATIVE
PRESENT

trabajo
trabajas
trabaja
trabajamos
trabajáis
trabajan

FUTURE

trabajaré
trabajarás
trabajará
trabajaremos
trabajaréis
trabajarán

IMPERFECT

trabajaba
trabajabas
trabajaba
trabajábamos
trabajabais
trabajaban

PRETERITE

trabajé
trabajaste
trabajó
trabajamos
trabajasteis
trabajaron

PRESENT PERFECT

he trabajado
has trabajado
ha trabajado
hemos trabajado
habéis trabajado
han trabajado

PAST PERFECT

había trabajado
habías trabajado
había trabajado
habíamos trabajado
habíais trabajado
habían trabajado

PRETERITE PERFECT
hube trabajado etc
see page 100

FUTURE PERFECT
habré trabajado etc
see page 100

CONDITIONAL
PRESENT

trabajaría
trabajarías
trabajaría
trabajaríamos
trabajaríais
trabajarían

SUBJUNCTIVE
PRESENT

trabaje
trabajes
trabaje
trabajemos
trabajéis
trabajen

*PRESENT
INFINITIVE*

trabajar

*PAST
INFINITIVE*

haber trabajado

PERFECT

habría trabajado
habrías trabajado
habría trabajado
habríamos trabajado
habríais trabajado
habrían trabajado

IMPERFECT

trabaj-ara/ase
trabaj-aras/ases
trabaj-ara/ase
trabaj-áramos/ásemos
trabaj-arais/aseis
trabaj-aran/asen

*PRESENT
PARTICIPLE*

trabajando

*PAST
PARTICIPLE*

trabajado

PAST PERFECT

hubiera trabajado
hubieras trabajado
hubiera trabajado
hubiéramos trabajado
hubierais trabajado
hubieran trabajado

IMPERATIVE

(tú) trabaja
(Vd) trabaje
(nosotros) trabajemos
(vosotros) trabajad
(Vds) trabajen

PRESENT PERFECT

haya trabajado etc
see page 100

INDICATIVE

PRESENT	FUTURE	IMPERFECT
traduzco	traduciré	traducía
traduces	traducirás	traducías
traduce	traducirá	traducía
traducimos	traduciremos	traducíamos
traducís	traduciréis	traducíais
traducen	traducirán	traducían

PRETERITE	PRESENT PERFECT	PAST PERFECT
traduje	he traducido	había traducido
tradujiste	has traducido	habías traducido
tradujo	ha traducido	había traducido
tradujimos	hemos traducido	habíamos traducido
tradujisteis	habéis traducido	habíais traducido
tradujeron	han traducido	habían traducido

PRETERITE PERFECT	FUTURE PERFECT
hube traducido etc	habré traducido etc
see page 100	see page 100

CONDITIONAL

PRESENT	SUBJUNCTIVE PRESENT	PRESENT INFINITIVE
traduciría	traduzca	traducir
traducirías	traduzcas	
traduciría	traduzca	PAST INFINITIVE
traduciríamos	traduzcamos	haber traducido
traduciríais	traduzcáis	
traducirían	traduzcan	

PERFECT	IMPERFECT	PRESENT PARTICIPLE
habría traducido	traduj-era/ese	traduciendo
habrías traducido	traduj-eras/eses	
habría traducido	traduj-era/ese	PAST PARTICIPLE
habríamos traducido	traduj-éramos/ésemos	traducido
habríais traducido	traduj-erais/eseis	
habrían traducido	traduj-eran/esen	

PAST PERFECT
hubiera traducido
hubieras traducido
hubiera traducido
hubiéramos traducido
hubierais traducido
hubieran traducido

IMPERATIVE

(tú) traduce
(Vd) traduzca
(nosotros) traduzcamos
(vosotros) traducid
(Vds) traduzcan

PRESENT PERFECT
haya traducido etc
see page 100

INDICATIVE

PRESENT	FUTURE	IMPERFECT
traigo	traeré	traía
traes	traerás	traías
trae	traerá	traía
traemos	traeremos	traíamos
traéis	traeréis	traíais
traen	traerán	traían

PRETERITE	PRESENT PERFECT	PAST PERFECT
traje	he traído	había traído
trajiste	has traído	habías traído
trajo	ha traído	había traído
trajimos	hemos traído	habíamos traído
trajisteis	habéis traído	habíais traído
trajeron	han traído	habían traído

PRETERITE PERFECT	FUTURE PERFECT
hube traído etc	habré traído etc
see page 100	see page 100

CONDITIONAL	SUBJUNCTIVE	
PRESENT	PRESENT	PRESENT INFINITIVE
traería	traiga	traer
traerías	traigas	
traería	traiga	PAST INFINITIVE
traeríamos	traigamos	haber traído
traeríais	traigáis	
traerían	traigan	

PERFECT	IMPERFECT	PRESENT PARTICIPLE
habría traído	traj-era/ese	trayendo
habrías traído	traj-eras/eses	
habría traído	traj-era/ese	PAST PARTICIPLE
habríamos traído	traj-éramos/ésemos	traído
habríais traído	traj-erais/eseis	
habrían traído	traj-eran/esen	

PAST PERFECT

hubiera traído
hubieras traído
hubiera traído
hubiéramos traído
hubierais traído
hubieran traído

IMPERATIVE

(tú) trae
(Vd) traiga
(nosotros) traigamos
(vosotros) traed
(Vds) traigan

PRESENT PERFECT

haya traído etc
see page 100

INDICATIVE

PRESENT	FUTURE	IMPERFECT
vacío	vaciaré	vaciaba
vacías	vaciarás	vaciabas
vacía	vaciará	vaciaba
vaciamos	vaciaremos	vaciábamos
vaciáis	vaciaréis	vaciabais
vacían	vaciarán	vaciaban

PRETERITE	PRESENT PERFECT	PAST PERFECT
vacié	he vaciado	había vaciado
vaciaste	has vaciado	habías vaciado
vació	ha vaciado	había vaciado
vaciamos	hemos vaciado	habíamos vaciado
vaciasteis	habéis vaciado	habíais vaciado
vaciaron	han vaciado	habían vaciado

PRETERITE PERFECT	FUTURE PERFECT
hube vaciado etc	habré vaciado etc
see page 100	see page 100

CONDITIONAL	SUBJUNCTIVE	
PRESENT	**PRESENT**	**PRESENT INFINITIVE**
vaciaría	vacíe	vaciar
vaciarías	vacíes	
vaciaría	vacíe	**PAST INFINITIVE**
vaciaríamos	vaciemos	
vaciaríais	vaciéis	haber vaciado
vaciarían	vacíen	

PERFECT	IMPERFECT	
habría vaciado	vaci-ara/ase	**PRESENT PARTICIPLE**
habrías vaciado	vaci-aras/ases	vaciando
habría vaciado	vaci-ara/ase	
habríamos vaciado	vaci-áramos/ásemos	**PAST PARTICIPLE**
habríais vaciado	vaci-arais/aseis	
habrían vaciado	vaci-aran/asen	vaciado

PAST PERFECT

hubiera vaciado
hubieras vaciado
hubiera vaciado
hubiéramos vaciado
hubierais vaciado
hubieran vaciado

IMPERATIVE

(tú) vacía
(Vd) vacíe
(nosotros) vaciemos
(vosotros) vaciad
(Vds) vacíen

PRESENT PERFECT

haya vaciado etc
see page 100

VALER to be worth

INDICATIVE

PRESENT	**FUTURE**	**IMPERFECT**
valgo	valdré	valía
vales	valdrás	valías
vale	valdrá	valía
valemos	valdremos	valíamos
valéis	valdréis	valíais
valen	valdrán	valían

PRETERITE	**PRESENT PERFECT**	**PAST PERFECT**
valí	he valido	había valido
valiste	has valido	habías valido
valió	ha valido	había valido
valimos	hemos valido	habíamos valido
valisteis	habéis valido	habíais valido
valieron	han valido	habían valido

PRETERITE PERFECT	**FUTURE PERFECT**
hube valido etc	habré valido etc
see page 100	see page 100

CONDITIONAL   *SUBJUNCTIVE*

PRESENT	**PRESENT**	*PRESENT INFINITIVE*
valería	valga	valer
valerías	valgas	
valería	valga	*PAST INFINITIVE*
valeríamos	valgamos	haber valido
valeríais	valgáis	
valerían	valgan	

PERFECT	**IMPERFECT**	*PRESENT PARTICIPLE*
habría valido	val-iera/iese	valiendo
habrías valido	val-ieras/ieses	
habría valido	val-iera/iese	*PAST PARTICIPLE*
habríamos valido	val-iéramos/iésemos	valido
habríais valido	val-ierais/ieseis	
habrían valido	val-ieran/iesen	

PAST PERFECT

hubiera valido
hubieras valido
hubiera valido
hubiéramos valido
hubierais valido
hubieran valido

IMPERATIVE

(tú) vale
(Vd) valga
(nosotros) valgamos
(vosotros) valed
(Vds) valgan

PRESENT PERFECT

haya valido etc
see page 100

INDICATIVE

PRESENT	FUTURE	IMPERFECT
venzo	venceré	vencía
vences	vencerás	vencías
vence	vencerá	vencía
vencemos	venceremos	vencíamos
vencéis	venceréis	vencíais
vencen	vencerán	vencían

PRETERITE	PRESENT PERFECT	PAST PERFECT
vencí	he vencido	había vencido
venciste	has vencido	habías vencido
venció	ha vencido	había vencido
vencimos	hemos vencido	habíamos vencido
vencisteis	habéis vencido	habíais vencido
vencieron	han vencido	habían vencido

PRETERITE PERFECT	FUTURE PERFECT
hube vencido etc	habré vencido etc
see page 100	*see page 100*

CONDITIONAL	SUBJUNCTIVE	
PRESENT	**PRESENT**	*PRESENT INFINITIVE*
vencería	venza	vencer
vencerías	venzas	
vencería	venza	*PAST INFINITIVE*
venceríamos	venzamos	haber vencido
venceríais	venzáis	
vencerían	venzan	

PERFECT	IMPERFECT	
habría vencido	venc-iera/iese	*PRESENT PARTICIPLE*
habrías vencido	venc-ieras/ieses	venciendo
habría vencido	venc-iera/iese	
habríamos vencido	venc-iéramos/iésemos	*PAST PARTICIPLE*
habríais vencido	venc-ierais/ieseis	vencido
habrían vencido	venc-ieran/iesen	

PAST PERFECT
hubiera vencido
hubieras vencido
hubiera vencido
hubiéramos vencido
hubierais vencido
hubieran vencido

IMPERATIVE

(tú) vence
(Vd) venza
(nosotros) venzamos
(vosotros) venced
(Vds) venzan

PRESENT PERFECT
haya vencido etc
see page 100

VENDER to sell   191

INDICATIVE
PRESENT	**FUTURE**	**IMPERFECT**
vendo	venderé	vendía
vendes	venderás	vendías
vende	venderá	vendía
vendemos	venderemos	vendíamos
vendéis	venderéis	vendíais
venden	venderán	vendían

PRETERITE	**PRESENT PERFECT**	**PAST PERFECT**
vendí	he vendido	había vendido
vendiste	has vendido	habías vendido
vendió	ha vendido	había vendido
vendimos	hemos vendido	habíamos vendido
vendisteis	habéis vendido	habíais vendido
vendieron	han vendido	habían vendido

PRETERITE PERFECT	**FUTURE PERFECT**
hube vendido etc	habré vendido etc
see page 100	*see page 100*

CONDITIONAL | ## *SUBJUNCTIVE* |
PRESENT	**PRESENT**	*PRESENT INFINITIVE*
vendería	venda	vender
venderías	vendas
vendería	venda	*PAST INFINITIVE*
venderíamos	vendamos	haber vendido
venderíais	vendáis
venderían	vendan

PERFECT	**IMPERFECT**	*PRESENT PARTICIPLE*
habría vendido	vend-iera/iese	vendiendo
habrías vendido	vend-ieras/ieses
habría vendido	vend-icra/iese	*PAST PARTICIPLE*
habríamos vendido	vend-iéramos/iésemos	vendido
habríais vendido	vend-ierais/ieseis
habrían vendido	vend-ieran/iesen

PAST PERFECT
hubiera vendido
hubieras vendido
hubiera vendido
hubiéramos vendido
hubierais vendido
hubieran vendido

IMPERATIVE
(tú) vende
(Vd) venda
(nosotros) vendamos
(vosotros) vended
(Vds) vendan

PRESENT PERFECT
haya vendido etc
see page 100

INDICATIVE

PRESENT	FUTURE	IMPERFECT
vengo	vendré	venía
vienes	vendrás	venías
viene	vendrá	venía
venimos	vendremos	veníamos
venís	vendréis	veníais
vienen	vendrán	venían

PRETERITE	PRESENT PERFECT	PAST PERFECT
vine	he venido	había venido
viniste	has venido	habías venido
vino	ha venido	había venido
vinimos	hemos venido	habíamos venido
vinisteis	habéis venido	habíais venido
vinieron	han venido	habían venido

PRETERITE PERFECT
hube venido etc
see page 100

FUTURE PERFECT
habré venido etc
see page 100

CONDITIONAL

PRESENT	SUBJUNCTIVE PRESENT	PRESENT INFINITIVE
vendría	venga	venir
vendrías	vengas	
vendría	venga	PAST INFINITIVE
vendríamos	vengamos	haber venido
vendríais	vengáis	
vendrían	vengan	

PERFECT	IMPERFECT	PRESENT PARTICIPLE
habría venido	vin-iera/iese	viniendo
habrías venido	vin-ieras/ieses	
habría venido	vin-iera/iese	PAST PARTICIPLE
habríamos venido	vin-iéramos/iésemos	venido
habríais venido	vin-ierais/ieseis	
habrían venido	vin-ieran/iesen	

PAST PERFECT
hubiera venido
hubieras venido
hubiera venido
hubiéramos venido
hubierais venido
hubieran venido

IMPERATIVE

(tú) ven
(Vd) venga
(nosotros) vengamos
(vosotros) venid
(Vds) vengan

PRESENT PERFECT
haya venido etc
see page 100

VER to see

INDICATIVE

PRESENT	**FUTURE**	**IMPERFECT**
veo	veré	veía
ves	verás	veías
ve	verá	veía
vemos	veremos	veíamos
veis	veréis	veíais
ven	verán	veían

PRETERITE	**PRESENT PERFECT**	**PAST PERFECT**
vi	he visto	había visto
viste	has visto	habías visto
vio	ha visto	había visto
vimos	hemos visto	habíamos visto
visteis	habéis visto	habíais visto
vieron	han visto	habían visto

PRETERITE PERFECT	**FUTURE PERFECT**
hube visto etc	habré visto etc
see page 100	*see page 100*

CONDITIONAL

PRESENT		
vería		
verías		
vería		
veríamos		
veríais		
verían		

PERFECT

habría visto
habrías visto
habría visto
habríamos visto
habríais visto
habrían visto

SUBJUNCTIVE

PRESENT		
vea		
veas		
vea		
veamos		
veáis		
vean		

IMPERFECT

v-iera/iese
v-ieras/ieses
v-iera/iese
v-iéramos/iésemos
v-ierais/ieseis
v-ieran/iesen

PAST PERFECT

hubiera visto
hubieras visto
hubiera visto
hubiéramos visto
hubierais visto
hubieran visto

PRESENT PERFECT

haya visto etc
see page 100

IMPERATIVE

(tú) ve
(Vd) vea
(nosotros) veamos
(vosotros) ved
(Vds) vean

PRESENT INFINITIVE

ver

PAST INFINITIVE

haber visto

PRESENT PARTICIPLE

viendo

PAST PARTICIPLE

visto

INDICATIVE

PRESENT
me visto
te vistes
se viste
nos vestimos
os vestís
se visten

FUTURE
me vestiré
te vestirás
se vestirá
nos vestiremos
os vestiréis
se vestirán

IMPERFECT
me vestía
te vestías
se vestía
nos vestíamos
os vestíais
se vestían

PRETERITE
me vestí
te vestiste
se vistió
nos vestimos
os vestisteis
se vistieron

PRESENT PERFECT
me he vestido
te has vestido
se ha vestido
nos hemos vestido
os habéis vestido
se han vestido

PAST PERFECT
me había vestido
te habías vestido
se había vestido
nos habíamos vestido
os habíais vestido
se habían vestido

PRETERITE PERFECT
me hube vestido etc
see page 100

FUTURE PERFECT
me habré vestido etc
see page 100

CONDITIONAL

PRESENT
me vestiría
te vestirías
se vestiría
nos vestiríamos
os vestiríais
se vestirían

SUBJUNCTIVE

PRESENT
me vista
te vistas
se vista
nos vistamos
os vistáis
se vistan

PRESENT INFINITIVE
vestirse

PAST INFINITIVE
haberse vestido

PERFECT
me habría vestido
te habrías vestido
se habría vestido
nos habríamos vestido
os habríais vestido
se habrían vestido

IMPERFECT
me vist-iera/iese
te vist-ieras/ieses
se vist-iera/iese
nos vist-iéramos/iésemos
os vist-ierais/ieseis
se vist-ieran/iesen

PRESENT PARTICIPLE
vistiéndose

PAST PARTICIPLE
vestido

PAST PERFECT
me hubiera vestido
te hubieras vestido
se hubiera vestido
nos hubiéramos vestido
os hubierais vestido
se hubieran vestido

IMPERATIVE
(tú) vístete
(Vd) vístase
(nosotros) vistámonos
(vosotros) vestíos
(Vds) vístanse

PRESENT PERFECT
me haya vestido etc
see page 100

VIVIR to live

INDICATIVE

PRESENT	FUTURE	IMPERFECT
vivo	viviré	vivía
vives	vivirás	vivías
vive	vivirá	vivía
vivimos	viviremos	vivíamos
vivís	viviréis	vivíais
viven	vivirán	vivían

PRETERITE	PRESENT PERFECT	PAST PERFECT
viví	he vivido	había vivido
viviste	has vivido	habías vivido
vivió	ha vivido	había vivido
vivimos	hemos vivido	habíamos vivido
vivisteis	habéis vivido	habíais vivido
vivieron	han vivido	habían vivido

PRETERITE PERFECT	FUTURE PERFECT
hube vivido etc	habré vivido etc
see page 100	see page 100

CONDITIONAL

PRESENT	SUBJUNCTIVE PRESENT	PRESENT INFINITIVE
viviría	viva	vivir
vivirías	vivas	
viviría	viva	PAST INFINITIVE
viviríamos	vivamos	haber vivido
viviríais	viváis	
vivirían	vivan	

PERFECT	IMPERFECT	PRESENT PARTICIPLE
habría vivido	viv-iera/iese	viviendo
habrías vivido	viv-ieras/ieses	
habría vivido	viv-iera/iese	PAST PARTICIPLE
habríamos vivido	viv-iéramos/iésemos	vivido
habríais vivido	viv-ierais/ieseis	
habrían vivido	viv-ieran/iesen	

PAST PERFECT

hubiera vivido
hubieras vivido
hubiera vivido
hubiéramos vivido
hubierais vivido
hubieran vivido

IMPERATIVE

(tú) vive
(Vd) viva
(nosotros) vivamos
(vosotros) vivid
(Vds) vivan

PRESENT PERFECT

haya vivido etc
see page 100

Note: **asir** and **desasir** conjugate as a regular **-ir** verb except that a **g** is added before **a** or **o**, eg **asgo** etc

INDICATIVE

PRESENT	FUTURE	IMPERFECT
vuelo	volaré	volaba
vuelas	volarás	volabas
vuela	volará	volaba
volamos	volaremos	volábamos
voláis	volaréis	volabais
vuelan	volarán	volaban

PRETERITE	PRESENT PERFECT	PAST PERFECT
volé	he volado	había volado
volaste	has volado	habías volado
voló	ha volado	había volado
volamos	hemos volado	habíamos volado
volasteis	habéis volado	habíais volado
volaron	han volado	habían volado

PRETERITE PERFECT	FUTURE PERFECT
hube volado etc	habré volado
see page 100	see page 100

CONDITIONAL

PRESENT	SUBJUNCTIVE PRESENT	PRESENT INFINITIVE
volaría	vuele	volar
volarías	vueles	
volaría	vuele	PAST INFINITIVE
volaríamos	volemos	haber volado
volaríais	voléis	
volarían	vuelen	

PERFECT	IMPERFECT	PRESENT PARTICIPLE
habría volado	vol-ara/ase	volando
habrías volado	vol-aras/ases	
habría volado	vol-ara/ase	PAST PARTICIPLE
habríamos volado	vol-áramos/ásemos	volado
habríais volado	vol-arais/aseis	
habrían volado	vol-aran/asen	

PAST PERFECT

hubiera volado
hubieras volado
hubiera volado
hubiéramos volado
hubierais volado
hubieran volado

IMPERATIVE

(tú) vuela
(Vd) vuele
(nosotros) volemos
(vosotros) volad
(Vds) vuelen

PRESENT PERFECT

haya volado etc
see page 100

INDICATIVE

PRESENT	FUTURE	IMPERFECT
vuelco	volcaré	volcaba
vuelcas	volcarás	volcabas
vuelca	volcará	volcaba
volcamos	volcaremos	volcábamos
volcáis	volcaréis	volcabais
vuelcan	volcarán	volcaban

PRETERITE	PRESENT PERFECT	PAST PERFECT
volqué	he volcado	había volcado
volcaste	has volcado	habías volcado
volcó	ha volcado	había volcado
volcamos	hemos volcado	habíamos volcado
volcasteis	habéis volcado	habíais volcado
volcaron	han volcado	habían volcado

PRETERITE PERFECT	FUTURE PERFECT
hube volcado etc	habré volcado etc
see page 100	see page 100

CONDITIONAL

PRESENT	SUBJUNCTIVE PRESENT	
volcaría	vuelque	**PRESENT INFINITIVE**
volcarías	vuelques	volcar
volcaría	vuelque	
volcaríamos	volquemos	**PAST INFINITIVE**
volcaríais	volquéis	haber volcado
volcarían	vuelquen	

PERFECT	IMPERFECT	
habría volcado	volc-ara/ase	**PRESENT PARTICIPLE**
habrías volcado	volc-aras/ases	volcando
habría volcado	volc-ara/ase	
habríamos volcado	volc-áramos/ásemos	**PAST PARTICIPLE**
habríais volcado	volc-arais/aseis	volcado
habrían volcado	volc-aran/asen	

PAST PERFECT
hubiera volcado
hubieras volcado
hubiera volcado
hubiéramos volcado
hubierais volcado
hubieran volcado

IMPERATIVE
(tú) vuelca
(Vd) vuelque
(nosotros) volquemos
(vosotros) volcad
(Vds) vuelquen

PRESENT PERFECT
haya volcado etc
see page 100

INDICATIVE

PRESENT	**FUTURE**	**IMPERFECT**
vuelvo	volveré	volvía
vuelves	volverás	volvías
vuelve	volverá	volvía
volvemos	volveremos	volvíamos
volvéis	volveréis	volvíais
vuelven	volverán	volvían

PRETERITE	**PRESENT PERFECT**	**PAST PERFECT**
volví	he vuelto	había vuelto
volviste	has vuelto	habías vuelto
volvió	ha vuelto	había vuelto
volvimos	hemos vuelto	habíamos vuelto
volvisteis	habéis vuelto	habíais vuelto
volvieron	han vuelto	habían vuelto

PRETERITE PERFECT	**FUTURE PERFECT**
hube vuelto etc	habré vuelto etc
see page 100	*see page 100*

CONDITIONAL	*SUBJUNCTIVE*	*PRESENT*
PRESENT	**PRESENT**	*INFINITIVE*
volvería	vuelva	volver
volverías	vuelvas	
volvería	vuelva	*PAST*
volveríamos	volvamos	*INFINITIVE*
volveríais	volváis	haber vuelto
volverían	vuelvan	

PERFECT	**IMPERFECT**	*PRESENT*
habría vuelto	volv-iera/iese	*PARTICIPLE*
habrías vuelto	volv-ieras/ieses	volviendo
habría vuelto	volv-iera/iese	
habríamos vuelto	volv-iéramos/iésemos	*PAST*
habríais vuelto	volv-ierais/ieseis	*PARTICIPLE*
habrían vuelto	volv-ieran/iesen	vuelto

PAST PERFECT
hubiera vuelto
hubieras vuelto
hubiera vuelto
hubiéramos vuelto
hubierais vuelto
hubieran vuelto

IMPERATIVE
(tú) vuelve
(Vd) vuelva
(nosotros) volvamos
(vosotros) volved
(Vds) vuelvan

PRESENT PERFECT
haya vuelto etc
see page 100

NOTES

1 MEANING

to return, to turn

2 CONSTRUCTIONS

volver a	to return to *(a place)*
volver a	to do *(something)* again
volver de/desde	to return from *(a place)*
volver en sí	to regain consciousness, to come round

3 USAGE

transitive:
volvió la cabeza   she turned her head round

intransitive:
volví a casa a la una   I went back home at one o'clock

+ a + infinitive:
volvimos a empezar   we started again
no volveré a decirlo   I won't say it again

reflexive:
me volví para decir adiós   I turned round to say goodbye

+ adjective:
se volvió muy antipático   he became very unfriendly
¿te has vuelto loca?   have you gone crazy?

4 PHRASES & IDIOMS

me volvió la espalda   she turned her back on me
volví la vista atrás   I turned to look back
se volvió atrás   he went back on what he had said

INDICATIVE

PRESENT

yazgo/yago/yazco
yaces
yace
yacemos
yacéis
yacen

FUTURE

yaceré
yacerás
yacerá
yaceremos
yaceréis
yacerán

IMPERFECT

yacía
yacías
yacía
yacíamos
yacíais
yacían

PRETERITE

yací
yaciste
yació
yacimos
yacisteis
yacieron

PRESENT PERFECT

he yacido
has yacido
ha yacido
hemos yacido
habéis yacido
han yacido

PAST PERFECT

había yacido
habías yacido
había yacido
habíamos yacido
habíais yacido
habían yacido

PRETERITE PERFECT

hube yacido etc
see page 100

FUTURE PERFECT

habré yacido etc
see page 100

CONDITIONAL

PRESENT

yacería
yacerías
yacería
yaceríamos
yaceríais
yacerían

SUBJUNCTIVE

PRESENT

yazga
yazgas
yazga
yazgamos
yazgáis
yazgan

PRESENT
INFINITIVE

yacer

PAST
INFINITIVE

haber yacido

PERFECT

habría yacido
habrías yacido
habría yacido
habríamos yacido
habríais yacido
habrían yacido

IMPERFECT

yac-iera/iese
yac-ieras/ieses
yac-iera/iese
yac-iéramos/iésemos
yac-ierais/ieseis
yac-ieran/iesen

PRESENT
PARTICIPLE

yaciendo

PAST
PARTICIPLE

yacido

PAST PERFECT

hubiera yacido
hubieras yacido
hubiera yacido
hubiéramos yacido
hubierais yacido
hubieran yacido

IMPERATIVE

(tú) yace
(Vd) yazga
(nosotros) yazgamos
(vosotros) yaced
(Vds) yazgan

PRESENT PERFECT

haya yacido etc
see page 100

ZURCIR to darn 200

INDICATIVE

PRESENT	**FUTURE**	**IMPERFECT**
zurzo	zurciré	zurcía
zurces	zurcirás	zurcías
zurce	zurcirá	zurcía
zurcimos	zurciremos	zurcíamos
zurcís	zurciréis	zurcíais
zurcen	zurcirán	zurcían

PRETERITE	**PRESENT PERFECT**	**PAST PERFECT**
zurcí	he zurcido	había zurcido
zurciste	has zurcido	habías zurcido
zurció	ha zurcido	había zurcido
zurcimos	hemos zurcido	habíamos zurcido
zurcisteis	habéis zurcido	habíais zurcido
zurcieron	han zurcido	habían zurcido

PRETERITE PERFECT	**FUTURE PERFECT**
hube zurcido etc	habré zurcido etc
see page 100	see page 100

CONDITIONAL

SUBJUNCTIVE

PRESENT	**PRESENT**	**PRESENT INFINITIVE**
zurciría	zurza	zurcir
zurcirías	zurzas	
zurciría	zurza	**PAST INFINITIVE**
zurciríamos	zurzamos	haber zurcido
zurciríais	zurzáis	
zurcirían	zurzan	

PERFECT	**IMPERFECT**	**PRESENT PARTICIPLE**
habría zurcido	zurc-iera/iese	zurciendo
habrías zurcido	zurc-ieras/ieses	
habría zurcido	zurc-iera/iese	**PAST PARTICIPLE**
habríamos zurcido	zurc-iéramos/iésemos	zurcido
habríais zurcido	zurc-ierais/ieseis	
habrían zurcido	zurc-ieran/iesen	

PAST PERFECT

hubiera zurcido
hubieras zurcido
hubiera zurcido
hubiéramos zurcido
hubierais zurcido
hubieran zurcido

IMPERATIVE

(tú) zurce
(Vd) zurza
(nosotros) zurzamos
(vosotros) zurcid
(Vds) zurzan

PRESENT PERFECT

haya zurcido etc
see page 100

INDEX

1 The verbs that do not appear in full in the tables are numbered to refer the reader to the corresponding conjugation table.

2 The verbs highlighted in bold and italic are conjugated in full in the verb tables.

3 * in the index indicates that the verb table is accompanied by notes on grammar and usage for the verb in question.

CH

D